Speaking Our LANGUAGE

CW00730715

Fàilte air ais gu Speaking Our Language

Welcome to the second series of Speaking Our Language, and another set of back-up material to help you develop your fluency in Gaelic.

This time we've produced one study pack covering all the programmes in the second TV series – from programme 19 right through to 36. You'll notice a few other changes too. We've included a two page introduction to Gaelic pronunciation, giving general guidance on how to tackle the subject, instead of adding approximate English sounds after new Gaelic words. You'll also see that there's more Gaelic in the Cò, Ciamar, Càite? section and that Aig an Taigh is almost entirely in Gaelic, giving you plenty of reading practice. On page 120 we've included details of other Speaking Our Language products and services, all designed to help YOU to become a Gaelic speaker.

Cumaibh oirbh – *keep going – and don't forget to let us know how you're getting on!*

Le deagh dhùrachd

Margaret MacDonald

Project Co-ordinator, Cànan

Scripts
Myles Campbell

Contributors
Ian MacDonald,
Peigi Townsend

Communicative Aims
Richard Cox

Cartoons
Andy Petrie

Language Consultants
Boyd Robertson,
Catriona Campbell,
University of Strathclyde
(Jordanhill Campus)

Graphic Design
Margo Dick, Cànan

Printed by Highland Printers,
Inverness

This project has been supported by:

Iomairt An Eilein
Sgitheanaich & Loch Aillse
Skye & Lochalsh
ENTERPRISE

CTG

Highlands & Islands
ENTERPRISE

Speaking Our Language is a Scottish Television Enterprises Production funded by

COMATAIDH TELEBHISEIN GAIDHLIG
GAELIC TELEVISION COMMITTEE

Published and Distributed by

CÀNAN

Sabhal Mòr Ostaig, Isle of Skye IV44 8RQ
Tel: 04714 345

Thanks also to the following: Argyll & Bute District Council, Balnain House, Amanda Berry, Lyndsey Campbell, Rody Gorman, Islay Teleservices, Anne Lorne Gillies, Donald MacAulay, Neen Mackay, Alisdair Mackinnon, Kenneth Matheson, Sam Maynard and John Mackinnon - Eòlas, Marisa MacDonald, Kenny MacManus, Annie MacSween, Ryno Morrison, Elen Rhys, School of Scottish Studies, Alastair Scott Photography, Sgoil Lìonacleit, Derick Thomson and to the many other individuals and organisations who contributed to this pack.

On the two pages that follow are some notes on Gaelic pronunciation and spelling. You will already be familiar with some of these points from the Series 1 study packs but this section will give you an opportunity to revise what you already know. Phonetic approximations of new words are not included this time, but these notes will help you cope with new words and sounds. Remember you can get additional guidance on pronunciation from the audio tapes and from the television programmes themselves.

Gaelic spelling, although it may not seem so at first sight, is generally consistent. Letters represent sounds in a regular and systematic way, with just some exceptions.

Before we look at vowels and consonants in detail, here are one or two other points to bear in mind.

1. CUDTHROM STRESS

The stress in most cases falls on the first syllable of a word e.g.

boireannach – woman
soithichean – dishes

The main exceptions are

a) hyphenated words like **a-mach** and **a-steach**

b) borrowed words like **buntàta** and **teicneòlas**

c) surnames like **MacLeòid**

d) the days of the week, e.g. **Diluain**.

2. FUAIMREAGAN VOWELS

Vowels are classified as **leathann** (broad) – a, o and u, or **caol** (slender) – e and i. A consonant can change sound depending on whether the vowel next to it is broad or slender e.g.

taigh (house) –
the **t** is like the **t** of **try**

tinn (ill) –
the **t** is like the **ch** of **chill**

3. CONNRAGAN CONSONANTS

The 13 consonants are **b, c, d, f, g, l, m, n, p, r, s, t** – and **h**. H is generally a helper consonant used mainly along with other letters to change their sounds *(see Series 1 Book 1, Page 2)* e.g.

the **b** in **bàta** after **air + article** becomes **bh** in **air a' bhàta** and the initial **bh** is sounded like English **v** in **van**.

l, n and **r** can also change their sound, but **h** is never written in after these three letters.

NA FUAIMREAGAN
THE VOWELS

The following list of vowel sounds should help with pronunciation. In some cases English doesn't have a sound exactly like the Gaelic one and the examples are approximations only.

Letters	English equivalent	Gaelic example
a	as **a** of **fat**	**falt**
à	as in musical notation **la**	**àrd**
ao	between English **oo** and **ee**	**caol**
e	as **e** of **met**	**le**
	sometimes like **a** of **late**	**teth**
	like the **uh** sound in **the** (usually at the end of a word)	**aige**
è	long version of the **e** of **met**	**cèic**
	long version of the **a** of **late**	**dè**
i	like the **i** of **hint**	**sin**
	like **ee** of **keep**	**ith**
ì	as **ee** of **fee**	**tì**
o	as **o** of **lot**	**dotair**
	as **o** of **note**	**tog**
ò	as **aw** of **law**	**còta**
	as **o** of **core**	**mòr**
u	as **oo** of **shoot**	**ugh**
ù	as **ew** of **crew**	**ùr**

NA CONNRAGAN LEATHANN   THE BROAD CONSONANTS

Consonants are **broad** when preceded or followed by **a**, **o** and **u**.

Letters	English equivalent	Gaelic example	Letters	English equivalent	Gaelic example
b	at start of word, as in English	**baile**	**h**	as in English	**hallò**
	elsewhere as **p** in English **trap**	**obair**	**l**	no equivalent, but like **ll** in **pulled**	**làmh**
bh	at start and end of word, as **v** in **van**	**bha**	**m**	as in English	**mòr**
	elsewhere in a word, can be silent or like **v** or **w**	**dubh** **abhainn**	**mh**	as **v** in **van**	**mhòr**
c	at start of word, as **c** in **cap**	**cò**		in middle or end of word, can be silent or like **w**	**falamh**
	elsewhere, like **chc** in **Lo<u>ch C</u>arron**	**mac**	**n**	similar to **n** in **fine**	**naoi**
ch	as **ch** in **loch**	**chaidh**	**p**	at start of word, as in English	**pathadh**
d	at start of word, as **d** in **drift**	**dath**		elsewhere, preceded by an **h** sound	**tapadh leat**
	elsewhere, like **t** in **cat**	**ad**	**ph**	as **ph** in **phrase**	**phòs**
dh	see **gh**	**dhan**	**r**	as in English **road**	**ruadh**
	sometimes comes between vowels and is silent	**meadhan**		as in English **garage**	**rinn**
f	as in English	**falbh**	**s**	as in English	**socair**
fh	usually silent	**chan fhalbh**	**sh**	as **h** in English **head**	**shuidh**
g	at start of word, as in English	**gorm**	**t**	at start of word, as in **trust**	**taigh**
	elsewhere, as **ck** in **back**	**cabhag**		elsewhere, preceded by an **h** sound	**cat**
gh	a blurred form of **g**	**ghabh**	**th**	as in English **have**	**thàinig**

NA CONNRAGAN CAOLA   THE SLENDER CONSONANTS

The following consonants show variations in pronunciation when preceded or followed by the slender vowels **e** or **i**:

Letters	English equivalent	Gaelic example	Letters	English equivalent	Gaelic example
c	at start of word, as **k** in **kiln**	**ciamar**	**gh**	as **y** in **yet**	**gheibh**
	elsewhere, as **chk**	**faic**	**l**	as **ll** in **allure**	**litir**
ch	as **ch** in German **ich**	**chì**	**n**	as **n** in **news**	**nigh**
d	at start of word, as **j** in **jelly**	**dèan**	**s**	as **sh** in **sheep**	**seall**
	elsewhere in word, as **tch** in **itch**	**idir**	**t**	as **ch** in **cheer**	**tighinn**
dh	as **y** in **yes**	**dh'ith**		elsewhere in word, preceded by an **h** sound or as **tch** in **catch**	**càit**
	is silent at the end of a word	**togaidh**			
g	at start of word, like **g** in **get**	**gille**			
	elsewhere, as **ck** in **deck**	**aige**			

Note that the above sounds do not always apply to words borrowed from other languages, and that these are general guidelines, to which there will be some exceptions.

ASKING WHAT SOMEONE LOOKS LIKE

To ask what a person looks like, you say

cò ris a tha e coltach? – what is he like or what does he look like?

cò ris a tha i coltach? – what is she like or what does she look like?

or

cò ris a tha iad coltach? – what are they like or what do they look like?

TELLING WHAT A PERSON OR THING LOOKS LIKE

tha e mòr – he is big, in build and / or height

tha i beag – she is small

tha iad grànda – they are ugly

also

... àrd – ... tall

... caol – ... thin

... bòidheach – ... pretty, beautiful

... àlainn – ... lovely

... reamhar – ... fat

or

... tiugh – ... fat

Tha e bòidheach, nach eil?

O, tha! Tha e àlainn!

Cò ris a tha iad coltach?
What are they like?

Using the describing words on this page, write one sentence which best describes each illustration. The first one has been done for you.

1. *Tha e mòr.*

2. ....

3. ....
....

4. ....
....

5. ....
....

STEP BY STEP
CEUM AIR CHEUM

SAYING THAT SOMEONE IS LIKE SOMEONE ELSE

tha e coltach ri ... – he is like …

tha i coltach ri ... – she is like …

Tha e coltach ri Elvis!

DESCRIPTIONS

tha falt ... air – he has … hair

tha falt ... oirre – she has … hair

... fada ... – … long …

... goirid ... – … short …

... bàn ... – … fair …

... dubh ... – … black …

... ruadh ... – … red, ginger …

... donn ... – … brown …

tha falt fada, ruadh oirre – she has long, red hair

(In some places **gruag** is used for hair, e.g. **tha gruag bhàn air** – he has fair hair)

tha feusag mhòr air – he has a big beard

stais dhubh – a black moustache

Note that **gruag**, **feusag** and **stais**, because they are feminine, cause lenition in the adjective which follows (i.e. an **h** is added after the first consonant – see *SOL Series 1, Book 2* page 69.)

A
STEP BY STEP
CEUM AIR CHEUM

Cò ghoid e? Who stole it?

While you are at the hairdresser's a wig is stolen. Later you are questioned by the police and you have to describe the other customers – in particular the type and colour of their hair, beards and moustaches, as appropriate. Below are sketches of the customers. Write a description of each person in one sentence just as you gave it to the police. The first one has been done for you.

1 *Bha falt fada, bàn oirre.*

2 ....

3 ....

4 ....

5 ....

Freagairtean: 2. Bha falt goirid, dubh air agus stais dhubh. 3. Bha falt goirid, ruadh oirre. 4. Bha falt fada, donn oirre. 5. Bha falt goirid, dubh air agus feusag mhòr, dhubh.

Ag innse cò ris a tha daoine coltach

THE EYES HAVE IT

tha sùilean donn aige – he has brown eyes

tha sùilean uaine aice – she has green eyes

tha sùilean gorm agad – you have blue eyes

and the polite form would be

tha sùilean gorm agaibh – you have blue eyes

In some places **liath** is used instead of **gorm** for blue.

You may hear an '**a**' added to describing words of one syllable like **mòr, beag, donn** etc. This often happens when they are used with plural words, as in the chorus of the children's song:

Sùilean dubha, dubha, dubh,
Sùilean dubh aig m' eudail ...
Dark, dark, dark eyes,
Dark are my darling's eyes ...

sùil dhubh can also mean a black eye

TO ASK WHETHER YOU KNOW SOMEONE AND TO REPLY

cò bha siud? – who was that?

cò tha siud? – who is that?

a bheil thu eòlach air? – do you know him?

a bheil thu eòlach oirre? – do you know her?

tha, tha mi eòlach air – yes, I know him

chan eil, chan eil mi eòlach oirre –
no, I don't know her

ASKING ABOUT A PARTICULAR PERSON

a bheil thu eòlach air Tormod? –
do you know Norman?

tha, tha mi eòlach air – yes, I know him

chan eil, chan eil mi eòlach air –
no, I don't know him

a bheil thu eòlach air Iseabail? –
do you know Isobel?

tha, tha mi eòlach oirre – yes, I know her

chan eil, chan eil mi eòlach oirre –
no, I don't know her

Sùilean agus falt
Eyes and hair

Four children are lost while on a school outing, and you give descriptions of them to the search party. Write down beneath the illustrations the colour of hair and eyes for each child. The first one has been done for you.

1
Tha sùilean gorm aige agus tha falt ruadh air.

2

3

4

Freagairtean: 2. Tha sùilean donn aice agus tha falt bàn oirre. **3.** Tha sùilean uaine aige agus tha falt dubh air. **4.** Tha sùilean gorm aice agus tha falt donn oirre.

Innis cò Tell who

You and a friend are having a busy day. She asks you whether you know the people you see in different places. You know some, but not others. Write down the answers suggested for each. The first one has been done for you.

1

> A bheil thu eòlach air?

✓ | *Tha. Sin Calum. 'S e tidsear a th' ann.*

2

> A bheil thu eòlach oirre?

✓

........................*Màiri*........................

3

> A bheil thu eòlach oirre?

✓

........................*Sine*

4

> A bheil thu eòlach air?

✗

........................*Ach 's e*........................*a th' ann.*

Cò iad? Who are they?

You have been witness to a smash-and-grab raid and are required to attend a police identity parade. Below are the descriptions you gave of the two people involved. Can you identify the suspects?

A. Duine òg, mu fhichead bliadhna 's a trì ... falt goirid, dubh air agus sùilean mòr aige. Caol agus àrd ... Cha robh feusag no stais air idir.

B. Boireannach mu fhichead bliadhna 's a deich ... falt fada, dubh oirre agus sùilean beag aice. Cha robh i bòidheach idir. Cha robh i ro àrd, ach bha i caol.

mu fhichead bliadhna 's a trì – about twenty three years old
boireannach – a woman

Freagairtean:

2. **A bheil thu eòlach oirre? Tha. Sin Màiri. 'S e nurs a th' innte.**
Do you know her? Yes, That's Mary. She's a nurse.
3. **A bheil thu eòlach oirre? Tha. Sin Sìne. 'S e còcaire a th' innte.**
Do you know her? Yes, That's Jean. She's a cook.
4. **A bheil thu eòlach air? Chan eil. Ach 's e pìobaire a th' ann.**
Do you know him? No. But he's a piper.

Freagairtean: A. 2. B. 4.

A. A young man, about 23 ... with short, black hair and big eyes. Thin and tall ... He didn't have a beard or moustache at all.
B. A woman about 30 ... with long, black hair and small eyes. She wasn't pretty at all. She wasn't too tall, but she was thin.

STEP BY STEP
CEUM AIR CHEUM
A|

'S e nighean bhrèagha a th' innte.

PASSING COMMENTS

's e duine ... a th' ann – he's a ... man

's e boireannach ... a th' innte – she's a ... woman

... snog ... – ... pretty, pleasant ...

... grànda ... – ... horrible, ugly, unpleasant ...

... glè shnog ... – ... very pretty, pleasant ...

... uabhasach snog ... – ... really or extremely pretty or pleasant ...

... uabhasach grànda ... – ... really or extremely ugly or unpleasant ...

... gu math snog ... – ... quite pretty, pleasant ...

... sgoinneil ... – ... splendid, great ...

... còir ... – ... kind ...

... gasda ... – ... nice, decent ...

... brèagha ... – ... beautiful ...

... grod ... – ... rotten, nasty ...

uabhasach by itself literally means terrible or awful

'S e gille còir a th' ann.

'S e duine grod a th' ann.

'S e nighean chòir a th' innte.

'S e duine gasda a th' ann.

REMEMBER, although **boireannach** means woman, grammatically it is masculine! Therefore **boireannach** doesn't cause lenition.

e.g. **'S e boireannach còir a th' innte.**

Most words referring to females are grammatically feminine and cause lenition:

nighean bhrèagha – a beautiful girl

caileag shnog – a nice girl

Ag innse cò ris a tha daoine no rudan coltach

REMEMBERING SOMEONE

tha cuimhne agam ... – I remember …

... ort – … you

... oirbh – … you (polite, or plural)

... air – … him

... oirre – … her

... orra – … them

... air Màiri – … Mary

... air mo charaid, Iain – … my friend, Iain

a bheil cuimhne agad oirre? – do you remember her?

a bheil cuimhne agad air? – do you remember him?

tha – yes, I do

chan eil – no, I don't

a bheil cuimhne agad air ... ? – do you remember … ?

... Murchadh – … Murdo

... Iseabail Nic an t-Saoir – … Isobel MacIntyre

A bheil cuimhne agad?
Do you remember?

These people are remembering mutual acquaintances from the past. Read through, or act out, the conversations and then jot down in English what the people in question are like. You'll find translations at the bottom of the page.

Mgr is short for **Maighistir** and is sometimes used for Mister (Mr), for example, **Mgr MacSuain** – Mr MacSween

Duine: **A bheil cuimhne agad oirre?**

Boireannach: **Chan eil.**

Duine: **Màiri. Bha i aig a' bhanais.**

Boireannach: **Cò ris a tha i coltach?**

Duine: **Seall! Sin i anns an dealbh.**

Boireannach: **O! Tha cuimhne agam a-nis. Boireannach uabhasach còir.**

Duine: **'S e gu dearbh. 'S e nurs a th' innte.**

dealbh – picture, photo
a' bhanais – the wedding
gu dearbh – indeed

An duine: **Chunnaic mi Mgr MacSuain a-raoir anns an taigh-òsda.**

A' bhean: **O! An tidsear ùr. Cò ris a tha e coltach?**

An duine: **Tha e gu math gasda. Bha sinn anns a' cholaisde còmhla.**

A' bhean: **O! Tha cuimhne agam air. Mgr MacSuain. Seòras. Seòras MacSuain à Inbhir Nis. Duine gasda gu dearbh! Bha mi eòlach air a' bhean aige.**

còmhla – together
a' bhean aige – his wife

Name: ....

Type of person: ....

....

Occupation: ....

Name: ....

Type of person: ....

....

Occupation: ....

Man: Do you remember her? **Woman:** No.
Man: Mary. She was at the wedding.
Woman: What does she look like?
Man: Look! There she is in the picture.
Woman: Oh! I remember now. A very kind woman.
Man: Yes, indeed. She's a nurse.

Husband: I saw Mr MacSween last night in the hotel.
Wife: Oh! The new teacher. What's he like?
Husband: He's quite nice. We were in college together.
Wife: Oh! I remember him. Mr MacSween. George. George MacSween from Inverness. A nice man indeed. I knew his wife.

WHAT DO YOU THINK?

dè do bheachd? – what do you think?

The polite, or plural form is

dè ur beachd? – what do you think?

dè do bheachd … ? – what do you think … ?

… air Alasdair – … of Alasdair

… air Peigi – … of Peggy

… air an duine sin – … of that man

… air a' gheansaidh sin – … of that jumper

… air an ad seo – … of this hat

EXPRESSING STRONG DISAPPROVAL

gòrach – silly, daft

na bi gòrach – don't be silly

glic – wise, sensible

chan eil thu glic – you're not wise

ghia! – yuck! (if you really don't like something!)

A. **Cha toigh leam i. Tha mi duilich.**
B. **Cha toigh leam idir e. Tha e grànda.**
C. **Is toigh leam i. Tha i glè bhòidheach.**
D. **Is toigh leam e. Tha e brèagha.**

A' toirt seachad beachd
Giving an opinion

A friend has been on a shopping spree and is asking your opinion of various items she has bought. Choose the most appropriate replies from the responses and clues provided. Remember that some words are masculine and others feminine.

Seall an dealbh mhòr seo. Dè do bheachd?

1

Dè do bheachd air an sgàthan ùr agam? A bheil e snog?

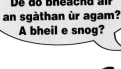

Dè do bheachd air a' bhrat sin?

3

Dè do bheachd air an t-seacaid seo? An toigh leat i?

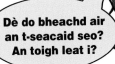

4

Freagairtean: 1 D; 2 C; 3 A; 4 B.

Ag innse cò ris a tha daoine no rudan coltach

Cuir na cairtean ri chèile Match up the cards

Revise some of the phrases in this section by playing this game. Work out which of the cards are saying the same thing and make a note of the pairs in the spaces provided. To use this as a family game, copy the phrases on to identical pieces of card and place them face down on a table. Each member of the family then picks up two cards. If they match, (s)he keeps them. If not, they have to be placed on the table face down.

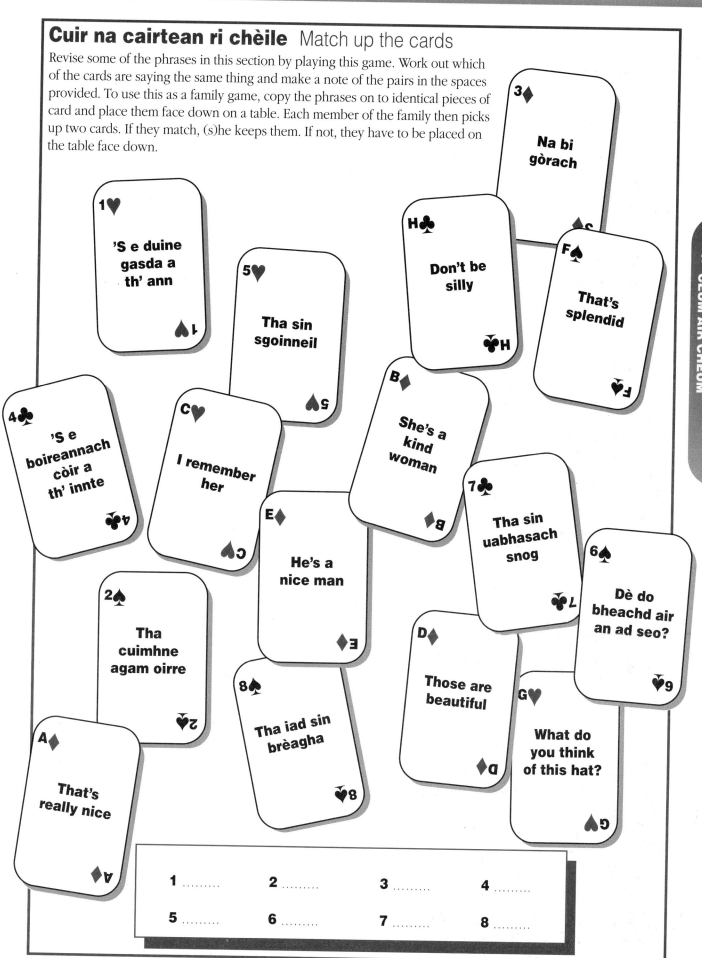

3♦ Na bi gòrach

1♥ 'S e duine gasda a th' ann

5♥ Tha sin sgoinneil

H♣ Don't be silly

F♠ That's splendid

4♣ 'S e boireannach còir a th' innte

C♥ I remember her

B♦ She's a kind woman

7♣ Tha sin uabhasach snog

6♠ Dè do bheachd air an ad seo?

E♦ He's a nice man

2♠ Tha cuimhne agam oirre

8♠ Tha iad sin brèagha

D♦ Those are beautiful

G♥ What do you think of this hat?

A♦ That's really nice

| 1 .... | 2 .... | 3 .... | 4 .... |
| 5 .... | 6 .... | 7 .... | 8 .... |

Freagairtean: 1E, 2C, 3H, 4B, 5F, 6G, 7A, 8D.

DETAILING WHAT YOU AND OTHERS ARE DOING

To ask what someone is doing, you say

dè tha thu a' dèanamh? – what are you doing?

or

dè tha sibh a' dèanamh? – what are you doing?

You might reply:

tha mi ... – I am...

... a' peantadh – ... painting

... a' càradh a' chàir – ... repairing the car

... a' glanadh an taighe – ... cleaning the house

... a' dèanamh cèic – ... making a cake

... a' dèanamh obair-taighe – ... doing housework

... a' nighe nan soithichean – ... washing the dishes

... ag iarnaigeadh – ... ironing

... a' còcaireachd – ... cooking

... a' coimhead air an telebhisean – ... watching television

... ag èisdeachd ris an rèidio – ... listening to the radio

... ag obair anns a' ghàrradh – ... working in the garden

tha mi a' dol ... – I'm going ...

... a-mach – ... out

... a dh'obair – ... to work

... dhachaigh – ... home

dè tha thu a' dèanamh an seo? – what are you doing here?

tha mi ... – I am ...

... a' cluich ... – ... playing ...

... golf – ... golf

... gèam – ... a game

... a' ceannach pàipear – ... buying a paper

... a' sgrìobhadh cairt – ... writing a card

... a' sgrìobhadh litir gu mo phàrantan – ... writing a letter to my parents

dè tha Ailean a' dèanamh? – what is Alan doing?

tha Ailean ... – Alan is...

... a' leughadh – ... reading

... a' snàmh – ... swimming

Note the change in the spelling of **càr** and **taigh** after **a' càradh** and **a' glanadh**, also the form of the (i.e. **nan**) before **soithichean**. These changes are explained in the *Ciamar a tha an cànan ag obrachadh?* section.

> We have met **tapadh leat** already. Another common way of saying thanks is **mòran taing** — many thanks

Speech bubbles: Dè tha thu a' dèanamh?

Tha mi a' dràibheadh a' chàir ùir agam.

ASKING WHAT'S DOING

dè tha dol? – what's doing? or what's happening?

tha mi dìreach a' coimhead air an telebhisean – I'm just watching television

chan eil mòran – not much

chan eil càil
chan eil sian } – nothing
chan eil dad

TO SAY YOU'RE COMING HOME

tha mi ... – I'm ...

... a' tighinn dhachaigh – ... coming home

Saying what you're doing
Ag innse dè tha thu a' dèanamh

Cò thàinig? Who came?

A friend of yours, who likes outdoor activity, wants someone to accompany him. At last he finds a person willing to join him – but only one. Who is it? Jot down the excuses the others gave him, as well as his companion's reply.

1

Caraid:	**Feasgar math. Tha i brèagha.**
Duine:	**Feasgar math.**
Caraid:	**A bheil thu a' tighinn airson gèam golf?**
Duine:	**Mòran taing, ach chan eil an-diugh. Tha mi duilich. Tha mi a' càradh a' chàir.**
Caraid:	**A bheil e briste?**
Duine:	**Tha.**

2

Caraid:	**Feasgar math. A bheil thu ag iarraidh ruith?**
Boireannach:	**Tha mi duilich. Tha mi a' peantadh.**
Caraid:	**A bheil thu a' dèanamh càil a-màireach?**
Boireannach:	**Chan eil.**
Caraid:	**A bheil thu ag iarraidh tighinn a-màireach?**
Boireannach:	**Tha.**
Caraid:	**Glè mhath. Chì mi a-màireach thu.**
Boireannach:	**Ceart, ma-tha. Tìoraidh an-dràsda.**

briste – broken

3

Duine:	**Hallò, ciamar a tha thu?**
Caraid:	**Gu math, tapadh leat. A bheil thu ag iarraidh cluich?**
Duine:	**Ball-coise? Tha mi duilich. Tha mi a' glanadh an taighe, agus feumaidh mi obair a dhèanamh anns a' ghàrradh.**
Caraid:	**Tha thu glè thrang.**
Duine:	**Tha an-dràsda, ach thig mi a-màireach.**
Caraid:	**Ceart, ma-tha. Chì mi a-màireach thu.**

trang – busy
feumaidh mi obair a dhèanamh –
    I must do some work
thig mi – I'll come

4

Duine:	**Dè tha dol an-diugh?**
Caraid:	**Chan eil mòran. Tha i brèagha. Dè tha dol agad fhèin?**
Duine:	**Chan eil càil. Tha mi dìreach a' coimhead air an telebhisean.**
Caraid:	**A bheil thu ag iarraidh a dhol a dh'iasgach?**
Duine:	**Tha. Thig mi an-dràsda.**
Caraid:	**Trobhad, ma-tha. Càit a bheil do shlat?**
Duine:	**Anns a' chidsin. Fuirich mionaid.**

a dhol a dh'iasgach – to go fishing
slat – fishing rod

Answers given

1. **Tha mi duilich. Tha mi a' càradh a' chàir.**
   I'm sorry. I'm mending the car.

2. ....
   ....

3. ....
   ....
   ....

4. ....

13

Dè tha iad a' dèanamh?
What are they doing?

You receive the wrong photographs from the chemist and you telephone
him to let him know. You explain the content of some of them. Write
down the descriptions in the boxes – the first one has been done for you.

fireannach – a man, a male

A

nurs a' dol a dh'obair

B

....

E

....

C

....

D

....

F

....

E. boireannach ag iarnaigeadh F. nighean a' leughadh leabhar
D. duine/fireannach a' nighe nan soithichean
C. boireannach a' sgrìobhadh cairt
Freagairtean: B. gille ag èisdeachd ris an rèidio

Ag innse dè tha thu a' dèanamh

Latha ann am beatha ... A day in the life of ...

Most people's day follows a set pattern. Read through the description of **Iseabail NicLeòid**'s day and, using the pictures as a guide, work out what is happening throughout her day. When you are satisfied that you understand the text, cover it so that only the pictures are visible and try and write down as much as you can of the description from memory. When you've done as much as you can, check the original text and then cover it up again and try to fill the gaps in the duplicate passage.

The following words may be new to you:

ag èirigh – getting up

an uair sin – then, or at that time

biadh – food, meal

fhad 's a – while

as dèidh – after

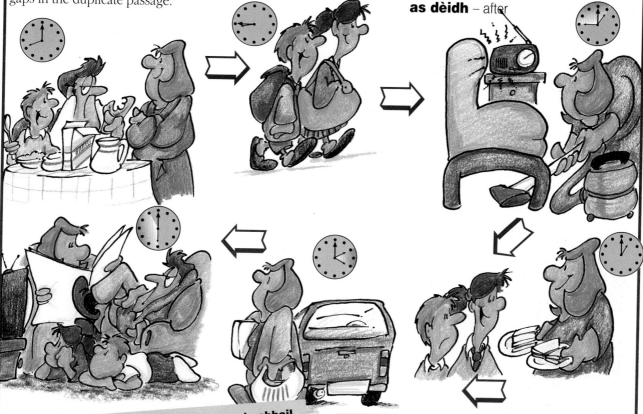

"Tha mi ag èirigh aig ochd uairean, agus a' gabhail mo bhracaist. Tha Iain, an duine agam, a' dol a dh'obair aig cairteal gu naoi, agus tha a' chlann a' dol dhan sgoil an uair sin cuideachd. As dèidh sin, tha mi a' dèanamh obair-taighe – a' nighe nan soithichean, a' glanadh an taighe agus a' còcaireachd. Fhad 's a tha mi ag obair, tha mi ag èisdeachd ris an rèidio. Tha a' chlann a' tighinn dhachaigh aig uair airson biadh. Feasgar tha mi a' dol sìos am baile dhan bhùth anns a' chàr agam – Polo dearg. Tha Iain a' tighinn dhachaigh bho obair aig còig uairean. As dèidh ar dìnneir tha mi a' coimhead air an telebhisean, no a' leughadh pàipear."

I get up at 8 o'clock, and have my breakfast. Iain, my husband, goes to work at 8.45 am, and the children go to school then as well. After that, I do housework – washing the dishes, cleaning the house and cooking. While I'm working, I listen to the radio. The children come home at one for lunch. In the afternoon I go down to the village to the shop in my car – a red Polo. Iain comes home from work at 5 o'clock. After our dinner I watch television, or read a paper.

Tha mi ag èirigh aig .... agus a' gabhail mo bhracaist. Tha Iain, an duine agam, a' dol a ....
aig cairteal gu naoi, agus tha a' chlann ....
.... an uair sin cuideachd. As dèidh sin, tha mi
a' dèanamh obair-taighe – a' nighe nan soithichean, ...
.... agus a' còcaireachd. Fhad 's a tha mi
ag obair, tha mi .... ris an rèidio. Tha
a' chlann .... dhachaigh aig uair airson biadh.
Feasgar tha mi .... am baile dhan bhùth anns
a' chàr agam – Polo dearg. Tha Iain a' tighinn dhachaigh bho
obair .... As dèidh ar dìnneir tha mi
.... air an telebhisean, no ....
...... pàipear.

A | STEP BY STEP — CEUM AIR CHEUM

ASKING ABOUT A DAY OFF

an robh latha dheth agaibh? –
did you have a day off?

bha, bha latha dheth agam – yes, I had a day off

cha robh, cha robh latha dheth agam idir –
no, I didn't have a day off at all

To a friend or child you would say
an robh latha dheth agad? –
did you have a day off?

càit an robh sibh? – where were you?

càit an robh thu ...? – where were you ...?

... an-dè – yesterday

... Disathairne – ... on Saturday

GIVING DETAILS ABOUT YOUR DAY OFF

bha latha dheth agam ... – I had a day off ...

... Diluain – ... on Monday

bha mi dheth ... – I was off ...

bha mi air falbh ... – I was away ...

... Dihaoine – ... on Friday

... fad an latha – ... all day

... anns a' mhadainn – ... in the morning

... feasgar – ... in the afternoon

bha mi ...

... ann an Loch Raonasa – ... in Lochranza

... anns a' Ghearasdan – ... in Fort William

... aig an taigh – ... at home

... anns a' bhaile – ... in town

... aig na bùthan – ... at the shops

... aig an tràigh – ... at the beach

chaidh sinn ... – we went ...

... dhan taigh-dhealbh – ... to the cinema

... a-null a Ghlaschu – ... over to Glasgow

... a-null a dh'Arainn – ... over to Arran

Dè rinn iad? What did they do?

You have gone to Glasgow for the day and, while on the bus from Partick to George Square, you can't help overhearing the following conversation between two women discussing their day off. You are surprised how much you understand! Jot down when each woman was off, where she went (if anywhere), who was with her, whether she enjoyed herself and what she did.

Boireannach 1	**Bha mi dheth an-dè.**
Boireannach 2	**Fad an latha?**
Boireannach 1	**Bha, bha mi dheth fad an latha.**
Boireannach 2	**An robh thu air falbh bhon taigh?**
Boireannach 1	**Bha. Chaidh mi fhìn agus Seòras a-null a dh'Arainn.**
Boireannach 2	**Glè mhath! An do chòrd e ruibh?**
Boireannach 1	**Chòrd. Bha sinn a' snàmh agus a' coiseachd. An robh thu fhèin dheth air an t-seachdain seo?**
Boireannach 2	**Bha. Bha mi dheth Diluain, anns a' mhadainn.**
Boireannach 1	**An robh thu air falbh?**
Boireannach 2	**Cha robh. Bha mi fhìn agus Raghnall aig an taigh, dìreach a' coimhead air an telebhisean. Chòrd sin rium.**

còmhla rithe – along with her

	1	2	3	4	5
	cuin a bha i dheth?	càit an robh i?	cò bha còmhla rithe?	an do chòrd e rithe?	dè bha i a' dèanamh?
Boireannach 1	*an-dè*				
Boireannach 2					

This page is linked to • **TV Programme 22** • **Audio Cassette 1**

SAYING WHAT YOU WERE DOING

To the question

dè bha sibh a' dèanamh? – what were you doing?

you might reply

bha mi ... – I was ...

... ag iasgach – ... fishing

... a' coiseachd – ... walking

... a' streap – ... climbing

... a' marcachd – ... horse-riding

... a' seòladh – ... sailing

... a' campadh – ... camping

... a' seinn – ... singing

... a' cadal – ... sleeping

... a' ruith – ... running

... a' gàirnealaireachd – ... gardening

... a' bèiceireachd – ... baking

... a' leughadh – ... reading

... a' peantadh – ... painting

... a' snàmh – ... swimming

... a' bruidhinn ri caraid – ... speaking to a friend

... a' coimhead air an telebhisean – ... watching television

... a' cluich ball-coise – ... playing football

... aig gèam ball-coise – ... at a football match

... aig coinneimh – ... at a meeting

... aig pòsadh – ... at a wedding

... aig banais – ... at a wedding

Pòsadh is the term for marriage and the marriage ceremony. **Banais** refers to the wedding reception.

ASKING WHEN SOMEONE HAS COME

cuin a thàinig sibh? – when did you come?

thàinig sinn aig còig uairean – we came at five o'clock

thàinig mi aig trì uairean – I came at three o'clock

thàinig mi can be left out in the reply, e.g.

aig trì uairean – at three o'clock

eadar sia 's a seachd – between six and seven o'clock

Ceist agus freagairt
Question and answer

A close friend has been asking you questions about your day off. Connect each of the balloons containing a question with one containing an answer you might have given.

Note that **duine** in this case means anybody.

còmhla riut – with you, along with you

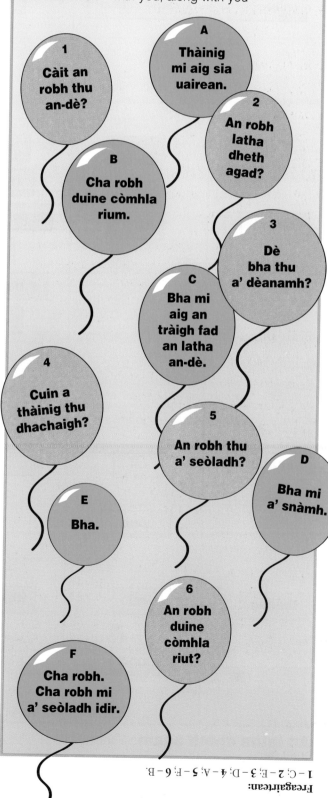

A — Thàinig mi aig sia uairean.

1 — Càit an robh thu an-dè?

2 — An robh latha dheth agad?

B — Cha robh duine còmhla rium.

3 — Dè bha thu a' dèanamh?

C — Bha mi aig an tràigh fad an latha an-dè.

4 — Cuin a thàinig thu dhachaigh?

5 — An robh thu a' seòladh?

D — Bha mi a' snàmh.

E — Bha.

6 — An robh duine còmhla riut?

F — Cha robh. Cha robh mi a' seòladh idir.

Freagairtean:
1–C. 2–E. 3–D. 4–A. 5–F. 6–B.

17

A' bruidhinn mu latha dheth

Ag innse mu do latha dheth Telling about your day off

You were given a day off work, and you took full advantage. Use the table below to tell what you did. Guided by the colour coding, choose an appropriate word, or phrase, from each of columns 1, 2 and 3. You can choose additional words from column 4 or 5, but to avoid confusion, choose only words from the same colour of box. For example:

1	2	3	4
Bha	sinn	aig banais	Dihaoine

A | STEP BY STEP CEUM AIR CHEUM

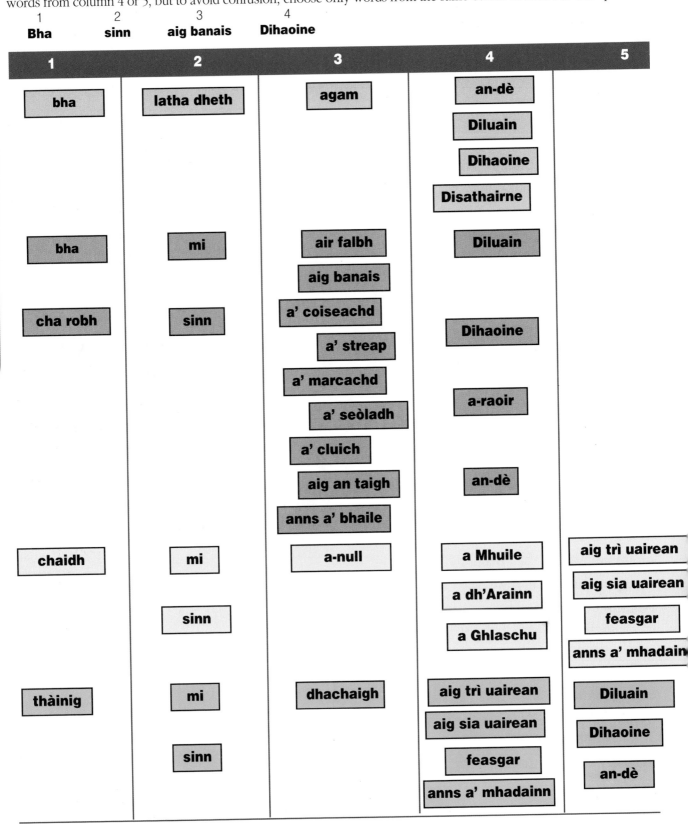

1	2	3	4	5
bha	latha dheth	agam	an-dè	
			Diluain	
			Dihaoine	
			Disathairne	
bha	mi	air falbh	Diluain	
		aig banais		
cha robh	sinn	a' coiseachd	Dihaoine	
		a' streap		
		a' marcachd		
		a' seòladh	a-raoir	
		a' cluich		
		aig an taigh	an-dè	
		anns a' bhaile		
chaidh	mi	a-null	a Mhuile	aig trì uairean
	sinn		a dh'Arainn	aig sia uairean
			a Ghlaschu	feasgar
				anns a' mhadainn
thàinig	mi	dhachaigh	aig trì uairean	Diluain
	sinn		aig sia uairean	Dihaoine
			feasgar	an-dè
			anns a' mhadainn	

An latha dheth agam My day off

ADDING EMPHASIS

sibhse is the emphatic form of **sibh**

sinne is the emphatic form of **sinn**

càit an robh sibh? – where were you?

bha sinne aig an tràigh – <u>we</u> were at the beach

similarly **mi** and **thu** have emphatic forms

mise – <u>me</u>

thusa – <u>you</u>

a phrase also used for emphasis is

gu dearbh – indeed

an robh latha math agaibh? – did you have a good day?

bha, gu dearbh – yes, indeed

Tha sinn fliuch.

Chan eil sinne fliuch idir!

Tagh facal Choose a word

From the list choose the most suitable words to fill in the gaps.

| mi | mise | thu | thusa |
| sibh | sibhse | sinn | sinne |

1. Footballers coming from a match meet some friends:

Bha sinne a' cluich ball-coise, dè bha .... a' dèanamh?

2. You happen to meet a friend at the railway station:

Bha mise ann an Glaschu, càit an robh .... ?

Freagairtean: 1. sibhse 2. thusa

Lìon na beàrnan Fill the gaps

You receive a card from a friend who is learning Gaelic in which he tells you about his day off. Read through it and fill in the gaps by choosing appropriate words from the list. Don't worry if you don't understand it all first time. And if you get really stuck, the translation is at the foot of the page.

uairean	dheth	cluich
brèagha	chaidh	charaid
Diluain	thàinig	sinn
	latha dheth	

6 Sràid a' Chaisteil,
Dùn Eideann,
10 Sultain

A Sheonaidh, a charaid,

Ciamar a tha thu? Bha latha .... agam an-dè agus bha e direach sgoinneil. .... mi fhìn agus Iain, mo ...., a Chill Rìmhinn airson an latha. 'S e latha .... a bh' ann. Bha sinn a' .... golf fad an latha, agus an uair sin chaidh .... airson pinnt. .... sinn air ais air an trèan aig naoi .... Càit an deach thu fhèin air an .... agad? Chì mi .... thu.

Le deagh dhùrachd,
Cailean

a Chill Rìmhinn – to St Andrews

6 Castle Street, Edinburgh, 10 September
Dear Johnny,
How are you? I had a day off yesterday and it was just great. My friend Ian and I went to St Andrews for the day. It was a beautiful day. We were playing golf all day, and then we went for a pint. We came back on the train at nine o'clock. Where did you go yourself on your day off? I'll see you on Monday.
With best wishes,
Colin

A | STEP BY STEP CEUM AIR CHEUM

ASKING HOW A PERSON FEELS

You have already met the phrase

ciamar a tha sibh? – how are you?

used as a greeting.

It can also be used to ask how someone feels, as can

ciamar a tha sibh a' faireachdainn? –
how do you feel?

Remember you can also use **thu** instead of **sibh** in less formal situations.

A more informal way of asking how someone is, is to say

dè do chor? – how are you doing?

The plural or polite form is

dè ur cor? – how are you doing?

SAYING HOW YOU FEEL

To answer

ciamar a tha sibh? or
ciamar a tha sibh a' faireachdainn?

you could say

tha gu math, tapadh leibh – fine, thank you

tha glè mhath, tapadh leibh –
very well, thank you

tha mi gu dòigheil – I'm fine
(meaning in good fettle or trim)

chan eil dona idir – not bad at all

tha mi sgìth – I'm tired

tha mi tinn – I'm sick

chan eil ach ... – just ...

... meadhanach – ... middling
(i.e. with regard to health)

... bochd – ... poorly

chan eil adhbhar a bhith a' gearan –
there is no reason to complain

Common answers to **dè do chor?** include

cor math, tapadh leat – fine, thanks

cor math, dè do chor fhèin? –
fine, how are you, yourself?

tha mi gu math – I'm fine

tha mi a' faireachdainn grod – I'm feeling rotten

Ciamar a tha thu a' faireachdainn?
How do you feel?

For this game you will need dice and counters. The object is to get from the foot of the stairs – **am bonn**, to the top – **am bàrr**. Throw the dice to establish how many steps you can take at a time. When you land on a step, move up or down as indicated. Wait there until your next turn! The first person to reach the top is the winner.

You can play the game on your own by trying to reach the top within a time limit.

AM BARR
– 3 chan eil mi a' faireachdainn gu math idir
+ 2 tha mi gu dòigheil
– 3 tha mi a' faireachdainn grod
+ 2 cor math, tapadh leat
+ 1 chan eil adhbhar a bhith a' gearan
– 2 chan eil mi gu math idir
+ 1 chan eil dona idir
– 2 chan eil ach bochd
+ 3 glè mhath
– 2 tha mi tinn
– 1 chan eil ach meadhanach
+ 1 tha mi a' faireachdainn math
+ 1 tha mi gu math
AM BONN

Ag innse ciamar a tha thu a' faireachdainn

ASKING WHAT'S WRONG

dè tha ceàrr oirbh? – what's wrong with you?

or the less formal

dè tha ceàrr ort? – what's wrong with you?

SAYING THAT SOMETHING IS SORE

tha mo ... goirt – my ... is sore

... dhruim ... – ... back ...

... chas ... – ... foot, leg ...

tha mo cheann goirt – my head is sore

Ciamar a tha iad a' faireachdainn?   How do they feel?

Your local radio station has sent a reporter, **Iain MacLeòid**, to interview some of the runners after they have recovered from running in the local mini-marathon. After reading through the interviews, match the three interviewees to their pictures. Then jot down how each interviewee feels and put them in order, best to worst.

X

Iain:	Feasgar math. Ciamar a tha sibh?
Uilleam:	Chan eil mi gu math.
Iain:	Obh, obh! Dè tha ceàrr?
Uilleam:	Tha mo dhruim goirt agus tha mi glè sgìth.
Iain:	Tha mi duilich. Tapadh leibh airson bruidhinn rium.

Y

Iain:	Feasgar math. Ciamar a tha sibh a' faireachdainn?
Fionnlagh:	Gu dòigheil.
Iain:	A bheil sibh sgìth?
Fionnlagh:	Chan eil mi dona idir.
Iain:	Tha sibh a' faireachdainn glè mhath, ma-tha?
Fionnlagh:	Tha.
Iain:	Glè mhath. Mòran taing airson bruidhinn rium.

Z

Iain:	Hallò. Dè do chor?
Seonag:	Tha mi a' faireachdainn grod.
Iain:	Tha mi duilich. Dè tha ceàrr?
Seonag:	Tha mo chas glè ghoirt agus tha mi glè sgìth.
Iain:	Tha mi glè dhuilich. Tapadh leibh airson bruidhinn rium.
Seonag:	'S e ur beatha.

Order: Y, X, Z

Freagairtean: X – D; Y – A; Z – B

X. Iain: Good evening. How are you? **William:** I'm not well. **Iain:** Oh, dear! What's wrong? **William:** My back's sore and I'm very tired. **Iain:** I'm sorry. Thanks for speaking to me.

Y. Iain: Good evening. How are you feeling? **Finlay:** Fine. **Iain:** Are you tired? **Finlay:** I'm not bad at all. **Iain:** You're feeling great, then? **Finlay:** Yes. **Iain:** Very good. Many thanks for speaking to me.

Z. Iain: Hello! How are you doing? **Joan:** I feel rotten. **Iain:** I'm sorry. What's wrong? **Joan:** My foot's very sore, and I'm very tired. **Iain:** I'm very sorry. Thanks for speaking to me. **Joan:** You're welcome.

DETAILING WHAT'S WRONG

When saying you have a particular illness you usually say

tha ... orm – I have ...

tha an cnatan orm – I have the cold

tha an dèideadh orm – I've got toothache

tha cur na mara orm – I'm seasick

If someone was feeling really bad they might say

tha mi beò air èiginn – I'm just surviving
(literally: I'm alive with difficulty.)

In some places I have the cold is

tha am fuachd agam or **tha an cnatan agam**

TO SAY YOU'RE BETTER OR WORSE

tha mi ... – I'm ...

... nas fheàrr – ... better

... nas miosa – ... worse

tha mi a' fàs nas fheàrr – I'm getting better

tha mi a' fàs nas miosa – I'm getting worse

Aig an dotair   At the doctor's

A doctor asks three people : **ciamar a tha thu a' faireachdainn?** Sort out the letters to find their replies.

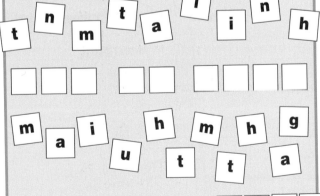

Nas fheàrr no nas miosa
Better or worse

A bheil thu a' fàs nas fheàrr?

Chan eil. Tha mi nas miosa.

Dè tha ceàrr ort?

Tha cur na mara orm.

A bheil an dèideadh ort?

Tha!

A bheil do cheann goirt fhathast?

Tha. Tha e a' fàs nas miosa.

STEP BY STEP
CEUM AIR CHEUM

Lorg am facal Wordsearch

The Gaelic words and phrases for the following, all from this section, have been hidden in the word square. Tick them off as you find them.

very good _____

not bad _____

sick _____

worse _____

at all _____

feeling _____

you (polite) _____

better _____

head _____

foot, leg _____

how? _____

wrong _____

well, fine _____

how are you doing? (polite) _____

the cold _____

my back _____

your (informal) _____

fine, in good fettle _____

what? _____

a word for 'the' _____

N	B	G	L	E	M	H	A	T	H	G	L	M	A
T	C	N	A	D	R	I	O	P	T	G	D	T	F
A	L	F	E	G	S	S	E	C	R	U	C	B	A
N	A	S	M	I	O	S	A	E	M	M	U	O	I
O	B	F	P	O	T	S	R	C	I	A	M	A	R
D	O	C	M	B	N	I	G	A	N	T	L	N	E
L	R	A	R	N	D	L	N	A	C	H	B	N	A
I	H	O	T	I	C	P	T	N	P	R	A	O	C
E	D	U	R	R	D	A	R	P	L	S	I	B	H
N	R	A	R	G	N	F	R	O	C	R	U	E	D
A	M	A	S	C	B	E	H	F	L	S	R	T	A
H	E	B	N	P	M	I	U	R	H	D	O	M	I
C	E	A	N	N	R	R	A	E	H	F	S	A	N
N	L	I	E	H	G	I	O	D	U	G	P	L	N

Freagairtean: very good **glè mhath,** not bad **chan eil dona,** sick **tinn,** worse **nas miosa,** at all **idir,** feeling **a' faireachdainn,** you (polite) **sibh,** better **nas fheàrr,** head **ceann,** foot, leg **cas,** how? **ciamar?,** wrong **ceàrr,** well, fine **gu math,** how are you doing? (polite) **dè ur cor?,** the cold **an cnatan,** my back **mo dhruim,** your (informal) **do,** fine, in good fettle **gu dòigheil,** what? **dè?,** a word for 'the' **an.**

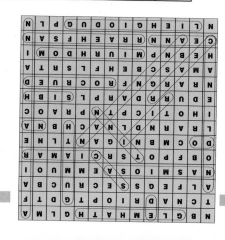

ASKING WHAT SOMEONE DID AND REPLYING

dè rinn sibh? – what did you do?

ghabh sinn biadh – we had food, a meal

bhruidhinn mi ri ... – I spoke to ...

... Seònaid – ... Janet

... mo charaid – ... my friend

chluich mi ... – I played ...

... a' chlàrsach – ... the harp

... an fhidheall – ... the fiddle

chluich sinn ... – we played ...

... ball-coise – ... football

... gèam air a' choimpiutair –
    ... a game on the computer

cheannaich mi ... – I bought ...

... na ticeadan – ... the tickets

... geansaidh ùr – ... a new jumper

... bainne – ... milk

an uair sin – then – can be placed at the beginning or end of a sentence. For example,

bhruidhinn mi ri Seònaid an uair sin –
    I spoke to Janet then
or
an uair sin bhruidhinn mi ri Seònaid –
    then I spoke to Janet

Dè rinn sibh?

Cheannaich sinn gèam ùr.

Innis dè rinn thu
Say what you did

You were in town for the day. Fill in the blanks in the sentences to show what you did. Choose the correct word from the list below.

ghabh

chaidh

cheannaich

bhruidhinn

chaidh

chluich

1. .... mi ticeadan.

2. .... mi ri caraid à Arainn.

3. .... sinn golf.

4. .... sinn biadh ann an taigh-òsda.

5. .... sinn dhan taigh-dhealbh.

6. .... sinn dhachaigh an uair sin.

Freagairtean: 1. Cheannaich... 2. Bhruidhinn... 3. Chluich... 4. Ghabh... 5. Chaidh... 6. Chaidh...

ASKING WHAT SOMEONE DID OR MADE AND REPLYING

dè rinn sibh? – what did you do?

rinn mi ... – I did ...

... bèiceireachd – ... a baking

... iarnaigeadh – ... an ironing

... na soithichean – ... the dishes

... an nigheadaireachd – ... the washing

... tòrr obair – ... a lot of work

dè rinn sibh? can also mean what did you make?

rinn mi ... – I made ...

... cèic – ... a cake

... dealbh – ... a drawing, a picture

... am biadh – ... the food

... an dìnneir – ... the dinner

... an leabaidh – ... the bed

Tòrr literally means heap, cairn, or hillock and has come to mean much, a lot.

You may also hear **tòrr obrach**, although less commonly. This change is explained in *Ciamar a tha an cànan ag obrachadh?*

1. **Cuin a bha latha dheth aig màthair Anna?**

   ...... latha dheth aig màthair Anna ....

2. **Càit an robh Anna agus a màthair?**

   Bha .... ann an Inbhir Nis.

3. **Dè cheannaich a màthair airson Anna?**

   .... a màthair .... ùr airson Anna.

4. **Dè rinn Anna airson uair a thìde?**

   .... i a' chlàrsach.

5. **Cò rinn cèic mhòr?**

   Rinn .... agus a .... cèic mhòr.

6. **Cò ghabh cus cèic?**

   .... Anna cus cèic.

Turas dhan bhaile
A trip to town

This is a description of Ann's trip to town. Read it carefully and complete the answers to the questions.

Latha dheth

Bha latha dheth aig màthair Anna Disathairne. Chaidh i fhèin agus Anna a dh'Inbhir Nis. Cheannaich a màthair geansaidh ùr airson Anna. Thàinig iad dhachaigh aig còig uairean air a' bhus. Chluich Anna a' chlàrsach airson uair a thìde, agus an uair sin bha i fhèin agus a màthair a' bèiceireachd. Rinn iad cèic mhòr. An uair sin ghabh iad biadh. Ghabh Anna cus cèic!

cus – too much   **a màthair** – her mother
uair a thìde – an hour

Freagairtean:
1. Bha, Disathairne 2. iad 3. Cheannaich, geansaidh 4. Chluich 5. Anna, màthair 6. Ghabh

A DAY OFF.
Ann's mother had a day off on Saturday. She and Ann went to Inverness. Her mother bought Ann a new sweater. They came home at 5 p.m. on the bus. Ann played the harp for an hour, and then she and her mother were baking. They made a big cake. Then they had some food. Ann had too much cake!

ASKING WHETHER A PERSON HAS SEEN SOMEONE OR SOMETHING

am faca sibh … ? – did you see … ?

… Seòras – … George

… duine – … anybody

… am prògram a-raoir – … the programme last night

chunnaic – yes, I saw (him, it, etc)

chunnaic mi… – I saw…

… Eòrpa – … Europe (a Gaelic TV programme)

… an gèam – … the game

To a child or a friend, you would say

am faca tu… ? – did you see… ?

Notice **thu** becomes **tu** after **am faca**. This also happens after words such as **bhios**, **rugadh** and **faodaidh**.

Cò rinn dè, cò chunnaic cò?
Who did what, who saw whom?

Study the following situations and jot down on the chart what people did. The first part of the first one has been done for you.

A

Athair:	Hallò! Dè bha thu a' dèanamh an-diugh?
Gille:	Bha mi a' cluich ball-coise agus an uair sin bha mi aig na bùthan.
Athair:	Dè cheannaich thu?
Gille:	Cheannaich mi sùgh orains.

B

Boireannach 1:	An robh an cèilidh math?
Boireannach 2:	Bha e uabhasach math. Chluich Catrìona a' chlàrsach.
Boireannach 1:	Dè do bheachd oirre?
Boireannach 2:	Bha i uabhasach math. Chòrd i rium.

C

Gille 1:	Dè rinn thu an-diugh?
Gille 2:	Och, bha mi a' cluich air a' choimpiutair. Dè bha thu fhèin a' dèanamh?
Gille 1:	Chaidh mi dhan bhaile. Chunnaic mi Jill.
Gille 2:	Agus… ?
Gille 1:	Chaidh sinn airson cofaidh.

Dè rinn e no i … ?

A. **gille:** *Chluich e ball-coise.*
....

B. **boireannach 2:** ....
....

C. **gille 2:** ....
....

   gille 1: ....
....
....

Freagairtean: A. Cheannaich e sùgh orains. **B.** Chaidh i gu cèilidh. **C. Gille 2:** Chluich e air a' choimpiutair. **Gille 1:** Chaidh e dhan bhaile. Chunnaic e Jill. Chaidh iad airson cofaidh.

Ag innse dè rinn thu

Latha anns a' bhaile A day in town

A game for 2 – 4 players. You will need dice and counters. You leave **an taigh** – the house at 9.00 a.m. and have to be **dhachaigh** – home at 4.30 p.m. However, there is sometimes a delay – **maille** and you have to miss a turn. The first person to reach **an taigh** is the winner.

Oifis a' Phuist – the Post Office
chuir thu an càr dhan gharaids – you put the car into the garage

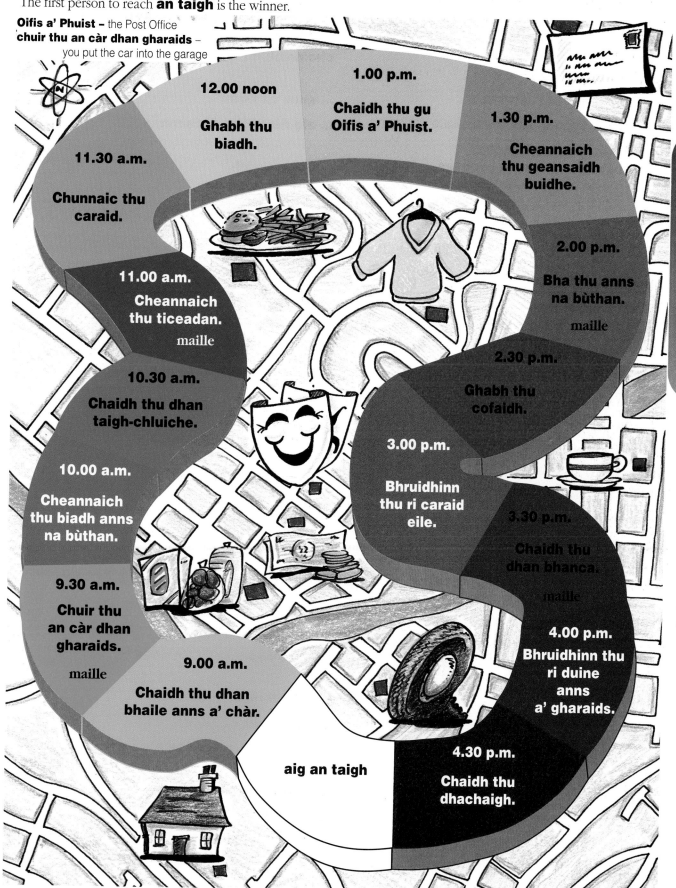

12.00 noon

Ghabh thu biadh.

1.00 p.m.

Chaidh thu gu Oifis a' Phuist.

1.30 p.m.

Cheannaich thu geansaidh buidhe.

11.30 a.m.

Chunnaic thu caraid.

11.00 a.m.

Cheannaich thu ticeadan.

maille

2.00 p.m.

Bha thu anns na bùthan.

maille

2.30 p.m.

Ghabh thu cofaidh.

10.30 a.m.

Chaidh thu dhan taigh-chluiche.

3.00 p.m.

Bhruidhinn thu ri caraid eile.

10.00 a.m.

Cheannaich thu biadh anns na bùthan.

3.30 p.m.

Chaidh thu dhan bhanca.

maille

9.30 a.m.

Chuir thu an càr dhan gharaids.

maille

9.00 a.m.

Chaidh thu dhan bhaile anns a' chàr.

4.00 p.m.

Bhruidhinn thu ri duine anns a' gharaids.

aig an taigh

4.30 p.m.

Chaidh thu dhachaigh.

SAYING WHERE YOU WERE BORN AND BROUGHT UP

càit an do rugadh sibh? – where were you born?

rugadh mi ann am Barraigh – I was born in Barra

rugadh is thogadh mi ann an Ile –
I was born and brought up in Islay

To a child or friend you would say:

càit an do rugadh tu? – where were you born?

**rugadh mi ann an Glaschu,
ach thogadh mi ann an Leòdhas** –
I was born in Glasgow,
but I was brought up in Lewis

SAYING WHERE YOU MET SOMEONE

choinnich mi ri... – I met ...

... Ealasaid ann an Glaschu –
... Elizabeth in Glasgow

... Iain aig dannsa – ... Ian at a dance

choinnich sinn ... – we met ...

... aig banais – ... at a wedding

... aig cèilidh – ... at a ceilidh

... aig gèam ball-coise – ... at a football game

choinnich sinn ri chèile ... –
we met each other ...

... nuair a bha sinn òg – ... when we were young

... nuair a bha sinn ann an Uibhist –
... when we were in Uist

... ann an 1980 – ... in 1980

càit an do choinnich sibh ri ... ? –
where did you meet ... ?

... Sìm – ... Simon

... Peigi – ... Peggy

càit an do choinnich sibh ... ? –
where did you meet ... ?

... ris – ... him

... rithe – ... her

choinnich mi ris ... – I met him ...

choinnich mi rithe ... – I met her ...

... aig a' Mhòd – ... at the Mod

... air làithean-saora – ... on holiday

choinnich mi ris an duine agam ... –
I met my husband ...

... aig m' obair – ... at my work

... aig coinneimh – ... at a meeting

choinnich mi ris a' bhean agam ... –
I met my wife ...

... anns an Oban – ... in Oban

... aig Fèis Dhùn Eideann –
... at the Edinburgh Festival

... aig partaidh – ... at a party

TALKING ABOUT BEING MARRIED

cuin a phòs sibh? – when did you marry?

phòs sinn ... – we married ...

... am-bliadhna – ... this year

... nuair a bha mi fichead – ... when I was twenty

... ceithir bliadhna air ais – ... four years ago

... o chionn coig bliadhna – ... five years ago

càit an do phòs sibh? – where did you marry?

phòs sinn ann an Inbhir Nis –
we married in Inverness

chan eil mi pòsda idir – I'm not married at all

SAYING WHEN OR WHERE YOU STARTED SOMETHING

cuin a thòisich sibh ... ? – when did you start ... ?

... ag obair an seo – ... working here

... anns a' cholaisde – ... in college

... ag ionnsachadh Gàidhlig – ... learning Gaelic

thòisich mi... – I started ...

... an-uiridh – ... last year

... nuair a bha mi anns a' cholaisde –
... when I was in college

càit an do thòisich thu ... ? –
where did you start ... ?

... a' dràibheadh – ... driving

thòisich mi nuair a bha mi ann an Glaschu –
I started when I was in Glasgow

SAYING WHEN YOU LEARNT SOMETHING

cuin a dh'ionnsaich thu ... ? –
when did you learn ... ?

... sgitheadh – ... skiing

... snàmh – ... swimming

... Fraingis – ... French

dh'ionnsaich mi ... – I learnt ...

... anns an sgoil – ... in school

... aig clas oidhche – ... at night class

... aig cùrsa samhraidh – ... at a summer school

dh'ionnsaich mi a' chlàrsach ... –
I learnt (to play) the harp ...

... o chionn dà bhliadhna – two years ago

SAYING WHEN YOU LEFT

cuin a dh'fhàg thu ... ? – when did you leave ... ?

... a' cholaisde – ... (the) college

... Dùn Eideann – ... Edinburgh

dh'fhàg mi ... – I left ...

... trì bliadhna air ais – ... three years ago

... o chionn f(h)ada – ... long ago

DISCUSSING WHERE YOU FOUND OR GOT SOMETHING

fhuair mi ... – I found, I got ...

... obair – ... work

... peann – ... a pen

... na h-iuchraichean – ... the keys

fhuair mo phàrantan flat – my parents found a flat

càit an d' fhuair thu an dreasa? –
where did you get the dress?

fhuair mi i ann am Miss Selfridge –
I got it in Miss Selfridge's

fhuair mi seo nuair a bha mi beag –
I got this when I was little

fhuair mi anns an oifis e – I got it in the office

Rhoda NicDhòmhnaill

Tha Rhoda NicDhòmhnaill ag obair aig Telebhisean na h-Alba agus chì sibh i air *Speaking Our Language*.
Read the interview. How would you answer the questions? Look out for:

peathraichean – sisters

Ard-sgoil MhicNeacail, Stèornabhagh –
the Nicolson Institute, Stornoway

oilthigh – university

cur-seachadan – pastimes, hobbies

Ceistear: Cò às a tha sibh, a Rhoda?
Rhoda: Tha mi à Leòdhas. Rugadh mi ann an Steòrnabhagh agus thogadh mi anns an Rubha.

Ceistear: Cuin a dh'fhàg sibh Leòdhas?
Rhoda: Dh'fhàg mi ann an 1976 agus a-nis tha mi a' fuireach ann an Glaschu.

Ceistear: A bheil piuthar no bràthair agaibh?
Rhoda: Tha triùir pheathraichean agam. Tha Ina agus Donna a' fuireach ann an Leòdhas agus tha Cairistìona a' fuireach ann an Cille Bhearchain. Tha mo mhàthair a' fuireach ann an Leòdhas cuideachd.

Ceistear: Càit an deach sibh dhan sgoil?
Rhoda: Chaidh mi do Sgoil Phabail agus an uair sin gu Ard-sgoil MhicNeacail ann an Steòrnabhagh.

Ceistear: Agus an uair sin... ?
Rhoda: An uair sin chaidh mi dhan oilthigh, Oilthigh Ghlaschu. Bha mi an sin gu 1979.

Ceistear: Tha sibh trang air an telebhisean. A bheil cur-seachadan agaibh?
Rhoda: Tha. Is caomh leam leughadh, còcaireachd agus snàmh. An-dràsda tha mi a' leughadh *Fatherland* le Robert Harris. 'S caomh leam Mary Wesley, Ann Tyler, Margaret Drabble agus Iris Murdoch.

Interviewer: Where are you from, Rhoda?
Rhoda: I'm from Lewis. I was born in Stornoway and brought up in Point.

Interviewer: When did you leave Lewis?
Rhoda: I left in 1976 and now I stay in Glasgow.

Interviewer: Do you have a sister or brother?
Rhoda: I have three sisters, Ina and Donna live in Lewis and Christeen lives in Kilbarchan. My mother lives in Lewis as well.

Interviewer: Where did you go to school?
Rhoda: I attended Bayble School and I then went to the Nicolson Institute in Stornoway.

Interviewer: And then ... ?
Rhoda: Then I went to university, Glasgow University. I was there until 1979.

Interviewer: You are busy on television. Do you have any hobbies?
Rhoda: Yes. I like reading and cooking and swimming. At the moment I'm reading *Fatherland* by Robert Harris. I like Mary Wesley, Ann Tyler, Margaret Drabble and Iris Murdoch.

A
STEP BY STEP
CEUM AIR CHEUM

Anna Latharna NicGilliosa

'S e seinneadair agus sgrìobhaiche a th' ann an Anna NicGilliosa agus tha i cuideachd a' sgrìobhadh na dràma *Aig an Taigh* airson *Speaking Our Language*.

Read the interview and think how you would answer the same questions. A translation is provided.

Ceistear: Cò às a tha sibh, Anna?

Anna: Tha mi às an Oban. Uill, thogadh mi anns an Oban, ach rugadh mi ann an Sruighlea. Dh'fhàg mi an t-Oban nuair a bha mi seachd bliadhna deug agus tha mi a' fuireach ann an Glaschu a-nis.

Ceistear: A bheil teaghlach agaibh?

Anna: Tha. Triùir chloinne – Rob, Marsaili agus Raghnaid. Tha Rob ann an Oilthigh Oxford agus tha an dithis nighean anns an sgoil.

Ceistear: A bheil bràthair no piuthar agaibh?

Anna: Tha aon bhràthair agam. Tha e a' fuireach ann an Dùn Eideann agus tha e ag obair ann an Oilthigh Dhùn Eideann.

Ceistear: Càit an deach sibh dhan sgoil?

Anna: Chaidh mi gu Ard-sgoil an Obain agus an uair sin chaidh mi gu Oilthigh Dhùn Eideann. Dh'ionnsaich mi Gàidhlig anns an Ard-sgoil.

Ceistear: An robh Gàidhlig aig ur pàrantan?

Anna: Cha robh, ach dh'ionnsaich mo mhàthair Gàidhlig nuair a bha i trì fichead 's a còig.

Ceistear: An dèidh Oilthigh Dhùn Eideann, dè an obair a bha sibh a' dèanamh?

Anna: Thòisich mi a' teagasg ann an trì fichead 's a sia. Bha mi a' teagasg ann an Sasainn.

Ceistear: Cuin a thòisich sibh a' seinn?

Anna: Thòisich mi a' seinn aig a' Mhòd nuair a bha mi glè òg – bha mi naoi bliadhna a dh'aois.

Ceistear: Dè na cur-seachadan a th' agaibh?

Anna: Is toigh leam leughadh agus sgrìobhadh leabhraichean – agus coiseachd. Is toigh leam coimhead air an telebhisean cuideachd.

Ceistear: Dè ur beachd air na prògraman Gàidhlig air an telebhisean?

Anna: Tha na prògraman Gàidhlig math. Is toigh le Marsaili agus Raghnaid *Machair* agus is toigh leamsa *Eòrpa* – o, agus is toigh leam *Seotal*.

Ceistear: Dè an obair a tha sibh a' dol a dhèanamh am-bliadhna?

Anna: Tha mi a' dol a dhèanamh sia prògraman telebhisein. Agus tha mi a' dol a sgrìobhadh leabhar eile. O – agus *Aig an Taigh* cuideachd.

seinneadair – singer

sgrìobhaiche – writer

Watch out for:

àrd-sgoil – high school

a' teagasg – teaching

a dh'aois – of age

sgrìobhadh leabhraichean – writing books

Interviewer: Where are you from, Anne?

Anne: I'm from Oban. Well, I was brought up in Oban, but I was born in Stirling. I left Oban when I was seventeen and I stay in Glasgow now.

Interviewer: Do you have a family?

Anne: Yes, three children - Robbie, Marsaili and Rachel. Robbie is in Oxford University, and the two girls are in school.

Interviewer: Do you have a brother or sister?

Anne: I have one brother. He stays in Edinburgh and he works in Edinburgh University.

Interviewer: Where did you go to school?

Anne: I went to Oban High School and then I went to Edinburgh University. I learnt Gaelic in High School.

Interviewer: Did your parents have Gaelic?

Anne: No, but my mother learnt Gaelic when she was sixty-five.

Interviewer: After Edinburgh University, what work did you do?

Anne: I started teaching in 1966. I was teaching in England.

Interviewer: When did you start singing?

Anne: I started singing at the Mod, when I was very young – I was nine years old.

Interviewer: What pastimes do you have?

Anne: I like reading and writing books – and walking. I like watching television also.

Interviewer: What do you think of the Gaelic programmes on television?

Anne: The Gaelic programmes are good. Marsaili and Rachel like Machair and I like Eòrpa — oh, and I like Seotal.

Interviewer: What work are you going to do this year?

Anne: I'm going to make six television programmes. And I'm going to write another book. Oh – and *Aig an Taigh* also.

Ryno MacIlleMhoire

Tha Ryno MacIlleMhoire a' cluich Mr MacLeòid anns an dràma *Aig an Taigh*.

Read his interview carefully. How would you answer the same questions? A translation is provided underneath.

Watch out for these words and phrases:

ban-Uibhisteach – a Uist woman

òrain – songs

bhon Cheanadach gu ... –
 from (Calum) Kennedy to ...

sgilean – skills

siud is seo – this and that

a' togail dhealbhan –
 taking pictures, photography

cuairt gu – a trip to

Fir Chlis, buidheann dràma Ghàidhlig –
 Fir Chlis, a Gaelic drama company

Dràma na h-Alba – Scottish Drama,
 a Gaelic drama agency

Ryno in "Ainm a' Ghaidheil"

Ceistear: Cò às a tha sibh?

Ryno: A Leòdhas. Rugadh agus thogadh mi ann an Adabroc, baile beag, brèagha ann an Nis.

Ceistear: Agus càit a bheil sibh a' fuireach a-nis?

Ryno: Tha mi a' fuireach ann an Uibhist a Deas a-nis, ann am baile beag Ormacleit.

Ceistear: A bheil sibh pòsda?

Ryno: Tha. Tha mi pòsda aig ban-Uibhisteach – agus aig Mrs NicLeòid. Obh, obh! Tha dà bhean agam.

Ceistear: Agus cuin a choinnich sibh fèin agus a' bhean agaibh?

Ryno: Choinnich sinn ceithir bliadhna deug air ais.

Ceistear: A bheil clann agaibh?

Ryno: Aon bhalach beag, Seonaidh Uilleam. Tha e bliadhna a dh'aois.

Ceistear: Càit an deach sibh dhan sgoil?

Ryno: Chaidh mi gu Sgoil Sgiogarstaidh an toiseach, an uair sin gu Sgoil Lìonail agus às an sin gu Ard-sgoil MhicNeacail ann an Steòrnabhagh.

Ceistear: Cuin a thòisich sibh air dràma?

Ryno: Nuair a dh'fhàg mi an sgoil, chaidh mi a dh'obair aig Fir Chlis, buidheann dràma Ghàidhlig. Dh'ionnsaich mi sgilean dràma nuair a bha mi ag obair dhaibh.

Ceistear: An robh sibh a' teagasg?

Ryno: Bha. Bha mi a' teagasg dràma ann an sgoiltean Uibhist, ach thòisich mi air obair ùr am-bliadhna aig Dràma na h-Alba.

Ceistear: Agus cur-seachadan?

Ryno: Is caomh leam òrain agus ceòl, bhon Cheanadach gu Mozart. Agus is caomh leam cuideachd a bhith a' togail dhealbhan le camara.

Ceistear: Dè eile a tha sibh a' dol a dhèanamh am-bliadhna?

Ryno: Siud is seo – saor-làithean, prògram no dhà eile airson *Speaking Our Language*. O, agus cuairt gu Adabroc!

Interviewer: Where are you from?

Ryno: From Lewis. I was born and brought up in Adabrock, a beautiful little village in Ness.

Interviewer: And where do you stay now?

Ryno: I stay in South Uist now, in the little village of Ormaclete.

Interviewer: Are you married?

Ryno: Yes, I'm married to a Uist woman – and to Mrs MacLeod. Oh, dear, I have two wives!

Interviewer: And when did you meet your wife?

Ryno: We met fourteen years ago.

Interviewer: Do you have children?

Ryno: One little boy, John William. He is a year old.

Interviewer: Where did you go to school?

Ryno: I first attended Skigersta School, then Lionel School and from there to the Nicolson Institute, Stornoway.

Interviewer: When did you start drama?

Ryno: When I left school I went to work with Fir Chlis, a Gaelic drama group. I learnt drama skills when I was working for them.

Interviewer: Were you teaching?

Ryno: Yes, I taught drama in Uist schools, but I started a new job this year with Dràma na h-Alba.

Interviewer: And pastimes?

Ryno: I like songs and music, from Calum Kennedy to Mozart. And I also like taking photographs.

Interviewer: What else are you going to do this year?

Ryno: This and that – holidays, a programme or two for *Speaking Our Language*. Oh, and a trip to Adabrock!

A' bruidhinn mu do bheatha

Marisa NicDhòmhnaill

Tha Marisa NicDhòmhnaill a' cluich Mrs NicLeòid anns an dràma *Aig an Taigh*.

Read the interview and think how you would answer the same questions. A translation is provided.

Watch out for:

Cluicheadairean an Rubha –
the Point Players drama group

a' mhòr-chuid – the majority, most

measgachadh math – a good deal of variety

Pròiseact nan Ealan –
the National Gaelic Arts Project

tuilleadh – more

tha mi airson fàs caol – I want to get slim

*Marisa helping her father and
Mairi Alice on the family croft*

Ceistear:	**Cò às a tha sibh?**
Marisa.	Tha mi à Leòdhas – Pabail Uarach anns an Rubha.
Ceistear:	**Càit an do rugadh sibh?**
Marisa:	Rugadh is thogadh mi ann an Leòdhas agus tha mi fhathast a' fuireach ann.
Ceistear:	**A bheil sibh pòsda?**
Marisa:	Tha. Choinnich mi fhìn agus an duine agam nuair a bha sinn anns an sgoil.
Ceistear:	**A bheil teaghlach agaibh?**
Marisa:	Tha triùir chloinne againn – dithis nighean, Catrìona agus Màiri Aileas, agus aon bhalach, Dòmhnall Alasdair.
Ceistear:	**Càit an deach sibh dhan sgoil?**
Marisa:	Chaidh mi gu Sgoil Phabail anns an Rubha.
Ceistear:	**Agus colaisde ...?**
Marisa:	Bha mi ann an Colaisde Dhùn Creige faisg air a' Phloc. Thòisich mi ann an 1970 agus dh'fhàg mi ann an 1972.
Ceistear:	**Cuin a thòisich sibh air dràma?**
Marisa:	Thòisich mi air dràma còmhla ri Cluicheadairean an Rubha ann an 1977.
Ceistear:	**Dè na cur-seachadan a th' agaibh?**
Marisa:	Dràma còmhla ri Cluicheadairean an Rubha! Agus 'step-aerobics' – tha mi airson fàs caol!
Ceistear:	**Dè ur beachd air na prògraman Gàidhlig air an telebhisean?**

Marisa:	Tha a' mhòr-chuid a' còrdadh rium. Tha measgachadh math ann.
Ceistear:	**Tha sibh ag obair air *Speaking Our Language*. Dè eile a tha sibh a' dol a dhèanamh am-bliadhna?**
Marisa:	Tha mi ag obair an-dràsda aig Pròiseact nan Ealan. Tha mi ag iarraidh tuilleadh actaidh a dhèanamh air telebhisean agus air an stèids.

Interviewer:	Where are you from?
Marisa:	I'm from Lewis – Upper Bayble, in Point.
Interviewer:	Where were you born?
Marisa:	I was born and brought up in Lewis and I still live there.
Interviewer:	Are you married?
Marisa:	Yes. My husband and I met when we were in school.
Interviewer:	Do you have a family?
Marisa:	We have three children - two girls, Catriona and Mairi Alice, and one boy, Donald Alasdair.
Interviewer:	Where did you go to school?
Marisa:	I attended Bayble School in Point.
Interviewer:	And college ... ?
Marisa:	I was in Duncraig College, near Plockton. I started in 1970 and left in 1972.
Interviewer:	When did you start drama?
Marisa:	I started drama with the Point Players in 1977.
Interviewer:	What pastimes do you have?
Marisa:	Drama with the Point Players! And 'step-aerobics' – I want to become slim.
Interviewer:	What do you think of the Gaelic programmes on television?
Marisa:	I like most of them. There's a good deal of variety.
Interviewer:	You are working on Speaking Our Language. What else are you going to do this year?
Marisa:	At the moment I'm working for the National Gaelic Arts Project. I want to do more acting on television and on stage.

A' bruidhinn mu do bheatha

Lìon na beàrnan Fill the blanks

Study the following questions and the replies. Choose the correct word to start each reply. Answers are given below.

1. **Càit an do rugadh sibh?**

.... mi ann am Barraigh.

2. **Cuin a choinnich sibh ri chèile?**

.... sinn ri chèile dà bhliadhna air ais.

3. **Càit an do choinnich sibh?**

.... sinn aig banais ann an Inbhir Nis.

4. **Càit an do thòisich thu ag obair?**

.... mi ann am banca.

5. **Cuin a dh'ionnsaich thu snàmh?**

.... mi snàmh nuair a bha mi òg.

6. **Cuin a dh'fhàg thu Glaschu?**

.... mi o chionn dà bhliadhna.

7. **Càit an d' fhuair thu an dreasa?**

.... mi an dreasa ann am Marks and Spencer's.

Freagairtean:
1. Rugadh 2. Choinnich 3. Choinnich 4. Thòisich 5. Dh'ionnsaich 6. Dh'fhàg 7. Fhuair.

A
STEP BY STEP
CEUM AIR CHEUM

A' dèanamh agallamh Constructing an interview

You have entered a home movie competition. You have to interview and make profiles of family members and friends. Prepare the questions you are going to ask. You should find out the following, where appropriate:

– where they were born and brought up

– where they are staying now

– whether they are married

– if so, when and where they met, and whether they have children

– whether they have a brother or sister

– when they started doing something – for example, working, driving, going to college

– when they learnt something – for example, Gaelic, swimming, French

– when they left some place – for example, school, Dundee, home

When you have prepared your questions, carry out the interviews in Gaelic. Finally, compare your interviews with those on the previous pages.

DISCUSSING MORNING ACTIVITIES

cuin a bhios sibh ag èirigh? –
when do you get up?

The form to a child or friend is
cuin a bhios tu ag èirigh?

bidh mi ag èirigh ... – I get up ...

... aig seachd uairean – ... at seven o'clock

... aig cairteal gu ochd – ... at quarter to eight

cuin a bhios sibh ... ? – when do you ... ?

... a' fàgail an taighe – ... leave the house

... a' dol a dh'obair – ... go to work

... a' dol dhan oifis – ... go to the office

... a' dol dhan sgoil – ... go to school

You can also say

cuin a bhios sibh ... ? – when do you ... ?

... a' falbh – ... go

... a' falbh dhan sgoil – ... go off to school

To say you are going there, you say

bidh mi a' dol ann ... – I go there ...

... aig cairteal an dèidh naoi –
... at quarter past nine

**... eadar leth-uair an dèidh seachd
agus ochd uairean** –
... between half past seven and eight o'clock

bidh mi a' dol ann a h-uile latha –
I go there every day

DISCUSSING MEALTIMES

am bi thu a' gabhail ... ? – do you take ... ?

... bracaist – ... breakfast

... diathad – ... lunch

... do dhìnneir aig an taigh –
... your dinner at home

bidh – yes, I do

cha bhi – no, I don't

bidh, uaireannan – I do, sometimes

cuin a bhios sibh a' gabhail bracaist? –
when do you have breakfast?

bidh bracaist ann aig ... – breakfast is at ...

... ochd uairean – ... eight o'clock

cuin a bhios diathad ann? – when is lunch?

bidh i ann aig ... – it will be at ...

... uair – ... one o'clock

Anns a' mhadainn In the morning

A researcher, wishing to identify people's morning television-viewing habits, comes to interview you. Note your responses here, answering the time questions to the nearest quarter of an hour.

Cuin a bhios sibh ag èirigh? ....

Am bi sibh a' coimhead air an telebhisean anns a' mhadainn? ....

Am bi sibh a' gabhail bracaist? ....

Am bi sibh a' coimhead air an telebhisean an uair sin? ....

Am bi sibh a' coimhead air an telebhisean a h-uile latha? ....

A bheil clann agaibh? ....

Cuin a bhios iad a' dol dhan sgoil? ....

Am bi iad a' coimhead air an telebhisean anns a' mhadainn? ....

A bheil sibh ag obair? ....

Cuin a bhios sibh a' dol a dh'obair? ....

DESCRIBING GOING TO WORK AND ARRIVING

bidh mi a' fàgail ... – I leave ...

... aig cairteal gu naoi – ... at quarter to nine

ciamar a bhios sibh a' dol a dh'obair? – how do you go to work?

bidh mi a' gabhail ... – I take ...

... trèan – ... a train

... bus – ... a bus

... tacsaidh – ... a taxi

bidh mi a' faighinn lioft – I get a lift

Bidh mi a' gabhail trèan dhan bhaile.

bidh mi a' coiseachd – I walk

bidh mi a' ruighinn aig naoi uairean – I arrive at nine o'clock

mar as trice, bidh mi a' ruighinn aig deich uairean – usually, I arrive at ten o'clock

Bidh mise a' coiseachd mar as trice.

Note that **mar as trice** can be placed at the beginning or end of a sentence.

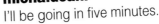

Bidh can mean simply will be, as in:

Bidh mi a' falbh ann an còig mionaidean.
I'll be going in five minutes.

Notice, however, that it can also refer to habitual, or regular, activities. For example:

Bidh mi a' gabhail mo bhracaist aig ochd uairean.
I take my breakfast at eight o'clock.

Ceart no ceàrr? True or false?

The following are statements of daily activities, which may or may not be true in your case. Read them carefully, and tick the appropriate box for each.

ro – before

	Ceart	Ceàrr
Bidh mi ag èirigh ro naoi uairean anns a' mhadainn.	☐	☐
Bidh mi an uair sin a' gabhail mo bhracaist.	☐	☐
Cha bhi mi a' gabhail bracaist idir.	☐	☐
Bidh mi uaireannan a' gabhail bracaist.	☐	☐
Bidh mi a' fàgail airson m' obair aig leth-uair an dèidh ochd.	☐	☐
Bidh mi ag obair aig an taigh.	☐	☐
Bidh mi a' gabhail trèan dhan bhaile.	☐	☐
Cha bhi mi a' coiseachd idir.	☐	☐
Bidh mi a' faighinn lioft dhan oifis.	☐	☐
Bidh mi ag obair gu còig uairean.	☐	☐
Bidh mi a' gabhail bus dhachaigh.	☐	☐
Cha bhi mi a' coimhead air an telebhisean feasgar.	☐	☐
Cha bhi mi a' gabhail biadh an dèidh ochd uairean feasgar.	☐	☐
Bidh mi a' dol dhan leabaidh ro aon uair deug.	☐	☐

A
STEP BY STEP
CEUM AIR CHEUM

ASKING WHAT SOMEONE DOES IN THE EVENING AND REPLYING

dè bhios sibh a' dèanamh … ? – what do you do… ?

… Oidhche Luain – … on Monday night

… Oidhche Mhàirt – … on Tuesday night

… Oidhche Haoine – … on Friday night

dè bhios tu a' dèanamh feasgar? – what do you do in the evening?

bidh mi a' dol … – I go …

… a-mach – … out

… dhan taigh-dhealbh – … to the cinema

… gu club uaireannan – … to a club sometimes

… gu clas oidhche – … to an evening class

… gu taigh-òsda – … to a hotel, a pub

… a chadal tràth – … to sleep early

bidh mi… – I'll be…

… aig an taigh – … at home

… aig m' obair – … at my work

bidh mi a' cèilidh air … – I visit … or I'll be visiting…

… Seonag – … Joan

cha bhi mi … – I don't … or I won't be …

… a-staigh a-nochd – … in tonight

… a' dol a-mach tric – … go out often

cuin a bhios sibh … ? – when do you … ?

… a' ruighinn dhachaigh – … arrive home

… a' dol dhan leabaidh – … go to bed

A' bruidhinn mu chur-seachadan
Discussing pastimes

You are attending a course at Sabhal Mòr Ostaig, the Gaelic College in Skye. In the evening you meet other students in a local hotel and get to know each other better. Read the conversations, and make notes in English of the pastimes mentioned.

A.

Sìne: Dè bhios tu a' dèanamh feasgar?

Eilidh: Bidh mi ag obair anns a' ghàrradh.

Sìne: A h-uile feasgar?

Eilidh: Cha bhi, cha bhi. Dìreach feasgar Diciadain.

_____

B.

Torcall: Am bi thu a' dol a-mach Oidhche Haoine?

Doileag: Bidh. Bidh mi a' dol a chèilidh air caraid. Dè bhios tu fhèin a' dèanamh?

Torcall: Bidh mi aig an taigh a' coimhead air an telebhisean.

Doileag: A h-uile feasgar?

Torcall: Cha bhi. Bidh mi uaireannan a' streap agus a' cluich golf.

_____

C.

Dàibhidh: Am bi thu ag iasgach?

Ailean: Bidh, gu math tric.

Dàibhidh: Is toigh leam iasgach cuideachd. Càit am bi thu ag iasgach?

Ailean: Air an abhainn.

_____

D.

Beathag: Dè na cur-seachadan a th' agad?

Catrìona: Bidh mi a' sgitheadh, agus is toigh leam filmichean. Dè bhios tu fhèin a' dèanamh?

Beathag: Bidh mi ag obair ann an oifis bho Dhiluain gu Dihaoine, agus a' dol dhan taigh-òsda Oidhche Haoine.

_____

abhainn – river

Ceist agus freagairt
Question and answer

The keys and keyholes have become mixed up. Match them so that each key fits the correct lock.

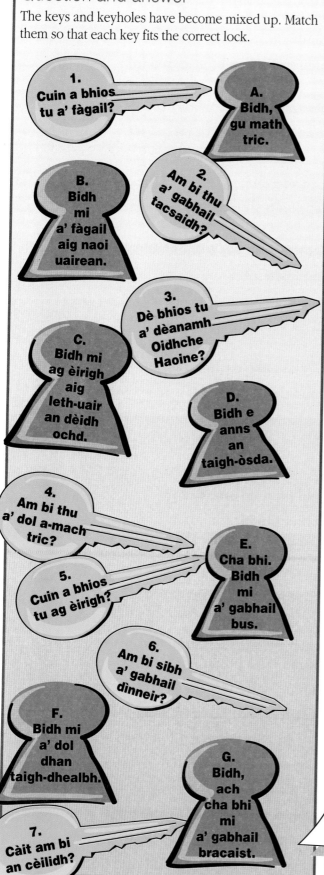

1. Cuin a bhios tu a' fàgail?

A. Bidh, gu math tric.

B. Bidh mi a' fàgail aig naoi uairean.

2. Am bi thu a' gabhail tacsaidh?

3. Dè bhios tu a' dèanamh Oidhche Haoine?

C. Bidh mi ag èirigh aig leth-uair an dèidh ochd.

D. Bidh e anns an taigh-òsda.

4. Am bi thu a' dol a-mach tric?

5. Cuin a bhios tu ag èirigh?

E. Cha bhi. Bidh mi a' gabhail bus.

6. Am bi sibh a' gabhail dìnneir?

F. Bidh mi a' dol dhan taigh-dhealbh.

G. Bidh, ach cha bhi mi a' gabhail bracaist.

7. Càit am bi an cèilidh?

Latha Sheumais James's day

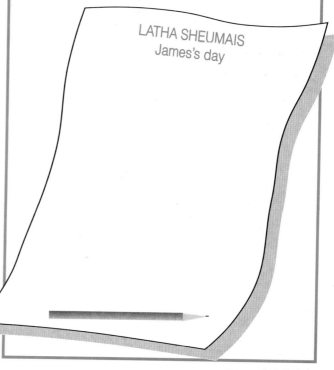

This is a description of James's day, but the sentences are out of sequence. Rewrite them so that they are in the right order. The correct order is given at the foot of the page.

1. Bidh mi a' gabhail trèan.

2. Bidh mi a' dol a chadal aig aon uair deug.

3. Bidh mi ag èirigh aig ochd uairean agus a' gabhail mo bhracaist.

4. Bidh mi ag obair gu còig uairean.

5. Bidh mi a' dol a dh'obair aig cairteal gu naoi.

6. Bidh mi sgìth ach toilichte.

7. Bidh mi a' dol a-mach feasgar gu clas oidhche.

toilichte – happy

LATHA SHEUMAIS
James's day

Freagairtean: 1. B; 2. E; 3. F; 4. A; 5. C; 6. G; 7. D.

An t-òrdugh ceart – The correct order:
3, 5, 1, 4, 7, 6 and 2.

A STEP BY STEP CEUM AIR CHEUM

ASKING PERMISSION

The simplest way of asking permission is to use
am faod ... ?

am faod mi ... ? – may I ... ?

... tòiseachadh – ... start

... tighinn a-steach – ... come in

... falbh – ... go

... smocadh – ... smoke

... suidhe – ...sit

... snàmh – ... swim

To ask if you may read something, you say

am faod mi ... a leughadh?

am faod mi am pàipear seo a leughadh? –
may I read this paper?

To ask if you may play something, you say

am faod mi ... a chluich?

am faod mi ball-coise a chluich? –
may I play football?

am faod mi golf a chluich? – may I play golf?

To ask if you may get something, you say

am faod mi ... fhaighinn? – may I get ... ?

am faod mi uisge fhaighinn? – may I get water?

To ask if you may use something, you say

am faod mi ... a chleachdadh?

am faod mi seo a chleachadh? – may I use this?

am faod mi am fòn agaibh a chleachdadh? –
may I use your phone?

To ask if you may go somewhere, you say

am faod mi a dhol ... ? – may I go ... ?

... ann – ... there

... a-steach – ... in

... chun an dannsa – ... to the dance

... chun nam bùthan – ... to the shops

... dhan taigh-dhealbh – ... to the cinema

... dhan taigh-bheag – ... to the toilet

GIVING PERMISSION

If you want to give permission, the usual response to
am faod ... ? is

faodaidh – yes, you may

am faod mi an càr fhaighinn? –
may I get the car?

faodaidh – yes, you may

faodaidh tu ... – you may ...

... fònadh – ... phone

... bruidhinn – ...speak

faodaidh sinn a dhol ann Disathairne –
we can go there on Saturday

faodaidh tu sin a dhèanamh – you may do that

faodaidh sibh ... – you may ...

... a dhol a-mach – ... go out

... an telebhisean a chur air –
... switch on the television

... an rèidio a chur dheth – ... switch off the radio

faodaidh gu dearbh – indeed you may

rathad toirmisgte

REFUSING PERMISSION

To refuse someone permission you say **chan fhaod**

am faod mi smocadh? – may I smoke?

chan fhaod – no, you may not

chan fhaod thu ... – you may not ...

... cluich – ... play

... iasgach – ... fish

na smocaibh

To say someone may not do specific things, for example,
drink something, you say

chan fhaod thu ... òl – you may not drink ...

chan fhaod thu sin òl – you may not drink that

chan fhaod thu ... – you may not ...

... sin a leughadh – ... read that

... seo a chleachdadh – ... use this

... biadh ithe – ... eat food

... rud sam bith a cheannach – ... buy anything

... an taigh fhàgail – ... leave the house

... an uinneag fhosgladh – ... open the window

... an doras a dhùnadh – ... shut the door

biadh agus deoch toirmisgte

GIVING REASONS FOR REFUSING PERMISSION

chan fhaod, tha e ... – no, it's ...

... ro thràth – ... too early

... ro anmoch – ... too late

... ro bhlàth – ... too warm

... ro fhuar – ... too cold

chan fhaod, tha mi ... – no, I'm ...

... ro sgìth – ... too tired

... ro thrang – ... too busy

chan fhaod, tha thu ... – no, you're ...

... ro òg – ... too young

... ro bheag – ... too small, young

chan fhaod, chan eil tìde gu leòr ann –
no, there isn't enough time

An clas mì-chofhurtail
The uncomfortable class

Take the part of the teacher. Tick a box for the appropriate reasons for refusing or giving permission. The answers are given at the foot of the page.

1. a. Tha e blàth. ☐
  b. Tha thu ro bheag. ☐
  c. Tha e ro fhuar. ☐

Am faod sinn a dhol dhachaigh?

Am faod mi an uinneag fhosgladh?

Chan fhaod.

Chan fhaod.

a. Tha e ro thràth. ☐
b. Tha e ro bhlàth. ☐
c. Chan eil e ceithir uairean. ☐

Chan fhaod.

Faodaidh.

Am faod mi an doras a dhùnadh?

Am faod sinn ball-coise a chluich?

3. a. Chan eil sibh trang. ☐
  b. Tha e ro fhliuch. ☐
  c. Chan eil tìde gu leòr ann. ☐

2. a. Tha e fuar. ☐
  b. Tha sibh trang. ☐
  c. Chan eil duine a' tighinn. ☐

Freagairtean: 1. c 2. a or c 3. b or c 4. a or c.

Ag iarraidh cead

Eilean an Ionmhais Treasure Island

This is a game for 2 – 4 players. You will need dice and counters. You go on an adventure holiday to an island rumoured to have hidden treasure. The object is to get from the port to the treasure. Follow the instructions as you go round the island. Each stage is coloured green or red and represents one mile. The coding is as follows:

uaine: Faodaidh tu a dhol air adhart –
 You may go ahead

**dearg: Cunnart! Chan fhaod thu a dhol
 air adhart**
 – Danger! You may not go ahead.

caill turas – lose a turn.

! leth-fhacal – clue

Look out for these words:

port – port, harbour
tuil – flood
maille – delay
coille – a wood
boglach – a bog
creagan – cliffs, rocks
cunnartach – dangerous
tuath – north
salach – dirty
tobar – well

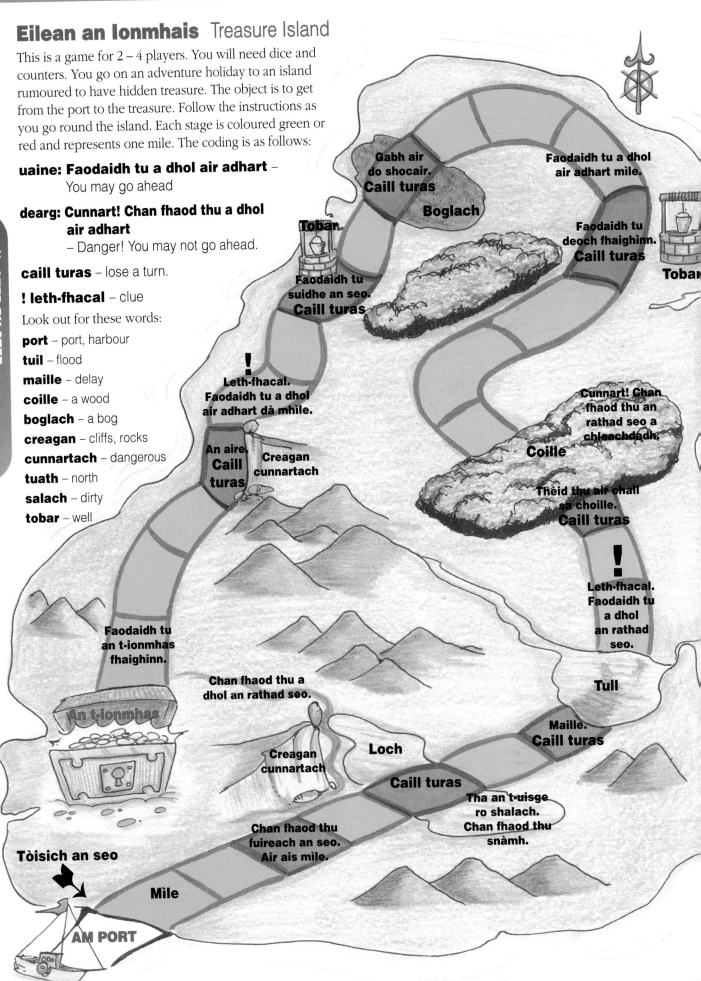

Gabh air do shocair. **Caill turas**

Boglach

Faodaidh tu a dhol air adhart mìle.

Tobar

Faodaidh tu deoch fhaighinn. **Caill turas**

Tobar

Faodaidh tu suidhe an seo. **Caill turas**

!
Leth-fhacal. Faodaidh tu a dhol air adhart dà mhìle.

Cunnart! Chan fhaod thu an rathad seo a chleachdadh.

Coille

An aire. **Caill turas**

Creagan cunnartach

Thèid thu air chall sa choille. **Caill turas**

!
Leth-fhacal. Faodaidh tu a dhol an rathad seo.

Faodaidh tu an t-ionmhas fhaighinn.

Chan fhaod thu a dhol an rathad seo.

Tuil

Maille. **Caill turas**

An t-ionmhas

Creagan cunnartach

Loch

Caill turas

Tha an t-uisge ro shalach. Chan fhaod thu snàmh.

Tòisich an seo

Chan fhaod thu fuireach an seo. Air ais mìle.

Mìle

AM PORT

Ag iarraidh cead

An campa òigridh The youth camp

You are in charge of children at a **campa òigridh**. Some of the children make various requests. Study the requests and give a 'yes' or 'no' response – using **'faodaidh'** or **'chan fhaod'**. You will need to take the camp mealtimes and the **riaghailtean** – rules, into account when giving your answers. Note carefully the time/day of the request. Answers are given at the foot of the page.

latha sam bith – any day

Riaghailtean

Faodaidh sibh coimhead air an telebhisean an dèidh ochd uairean feasgar.

Faodaidh sibh a dhol a shnàmh Dimàirt agus Dihaoine.

Faodaidh sibh ball-coise a chluich latha sam bith.

Faodaidh sibh iomain a chluich latha sam bith.

Faodaidh sibh a dhol chun an dannsa Disathairne.

Bidh sibh a' dol dhan leabaidh aig leth-uair an dèidh deich.

bracaist	8.00 a.m. – 9.00 a.m.
diathad	12.00 p.m. – 1.00 p.m.
dìnneir	6.30 p.m. – 8.00 p.m.

1

(Dimàirt, deich uairean anns a' mhadainn)

Am faod sinn a dhol a shnàmh?

2

Am faod sinn an telebhisean a chur air?

(uair feasgar)

3

(trì uairean feasgar)

Am faod sinn ball-coise a chluich?

4

(leth-uair an dèidh naoi anns a' mhadainn)

Am faod mi bracaist fhaighinn?

Am faod sinn iomain a chluich?

6

(cairteal gu dà uair dheug anns a' mhadainn)

7

Am faod sinn a dhol chun an dannsa a-nochd?

5

Am faod sinn a dhol dhan bhaile?

(leth-uair an dèidh sia feasgar)

(Disathairne, ceithir uairean)

Freagairtean: 1. Faodaidh. *(Rules say they swim on Tuesday.)* **2.** Chan fhaod. *(They are allowed to watch television only after 8 p.m.)* **3.** Faodaidh. **4.** Chan fhaod. *(Breakfast is between 8 and 9 a.m.)* **5.** Chan fhaod. *(Dinner is at 6.30 p.m.)* **6.** Chan fhaod. *(Lunch is at 12.)* **7.** Faodaidh. *(They are allowed to the dance on Saturday.)*

A
STEP BY STEP
CEUM AIR CHEUM

ASKING TO SPEAK TO SOMEONE

am faod mi bruidhinn ri … ? – may I speak to …?

… Dàibhidh – … David

… do bhràthair – … your brother

… Seòras MacAoidh – … George MacKay

am faod mi bruidhinn …? – may I speak … ?

… ris an dotair – … to the doctor

… ris a' mhanaidsear – … to the manager

… ris a' chòcaire – … to the cook

am faod mi bruidhinn ris? – may I speak to him?

am faod mi bruidhinn rithe? –
    may I speak to her?

SAYING A PERSON MAY SPEAK TO SOMEONE

To say a person may speak to someone, you respond

faodaidh – yes, you may

am faod mi bruidhinn ri Cailean MacIlleMhoire?
    – may I speak to Colin Morrison?

faodaidh, faodaidh sibh bruidhinn ris –
    yes, you may speak to him

am faod mi bruidhinn ri do phiuthar? –
    may I speak to your sister?

faodaidh, faodaidh sibh bruidhinn rithe –
    yes, you may speak to her

You may also hear responses such as:

faodaidh, cha bhi e fada – yes, he won't be long

faodaidh, bidh i an seo ann am mionaid –
    yes, she'll be here in a minute

faodaidh, fuirichibh mionaid – yes, wait a minute

SAYING A PERSON MAY NOT SPEAK TO SOMEONE

To say a person may not speak to someone, you respond

chan fhaod – no, you may not

am faod mi bruidhinn ri Ailean MacDhùghaill?
    – may I speak to Alan MacDougall?

**chan fhaod, chan fhaod thu bruidhinn ris
    an-dràsda** –
    no, you may not speak to him just now

Often **chan fhaod** is prefixed by **tha mi duilich …**

tha mi duilich, chan fhaod thu bruidhinn rithe
    – I'm sorry, you may not speak to her

REQUESTING TO SEE SOMEONE

am faod mi … fhaicinn? – may I see … ?

am faod mi an tidsear fhaicinn? –
    may I see the teacher?

am faod mi am ministear fhaicinn? –
    may I see the minister?

am faod mi Mgr MacCoinnich fhaicinn Dimàirt?
    – may I see Mr MacKenzie on Tuesday?

am faod mi fhaicinn? – may I see him?

am faod mi a faicinn? – may I see her?

SAYING A PERSON MAY SEE SOMEONE

To say a person may see someone, you respond

faodaidh – yes, you may

am faod mi Dòmhnall fhaicinn? –
    may I see Donald?

faodaidh, faodaidh tu fhaicinn –
    yes, you may see him

am faod mi Iseabail Mhoireach fhaicinn? –
    may I see Isobel Murray?

faodaidh, faodaidh sibh a faicinn –
    yes, you may see her

SAYING A PERSON MAY NOT SEE SOMEONE

To say a person may not see someone, you respond

chan fhaod – no, you may not

am faod sinn am manaidsear fhaicinn? –
    may we see the manager?

chan fhaod sibh a faicinn – you may not see her

am faod mi an Dotair MacAoidh fhaicinn? –
    may I see Dr MacKay?

**tha mi duilich, chan fhaod sibh an
    Dotair MacAoidh fhaicinn an-diugh** –
    I'm sorry, you may not see Dr MacKay today

Notice that to see her is **a faicinn** while to see him is
fhaicinn. This is explained in *Ciamar a tha an cànan
ag obrachadh?*

SAYING YOU WOULD LIKE TO SPEAK TO SOMEONE

If you would like to speak to someone, you say

tha mi airson bruidhinn ri … –
I would like to speak to …

… Anna – … Ann

… do mhàthair – … your mother

tha mi airson bruidhinn … –
I would like to speak …

… ris a' phoileas – … to the police officer

… ris an tidsear – … to the teacher

tha mi airson bruidhinn rithe –
I would like to speak to her

tha mi airson bruidhinn ris –
I would like to speak to him

SAYING YOU WOULD LIKE TO SEE SOMEONE

If you would like to see someone, you say

tha mi airson … fhaicinn – I would like to see…

tha mi airson d' athair fhaicinn –
I would like to see your father

tha mi airson fhaicinn – I would like to see him

tha mi airson a faicinn – I would like to see her

GIVING REASONS FOR NOT BEING ABLE TO SEE SOMEONE

tha e … – he's …

… trang – … busy

… air falbh – … away

tha i … – she's …

… a-muigh – … out

… aig coinneimh – … at a meeting

… air saor-làithean – … on holiday

tha mi duilich, tha e … – I'm sorry, he's …

… ro thrang an-dràsda – … too busy just now

… ann an Dùn Eideann – … in Edinburgh

chan eil i … – she is not …

… a-staigh – … in

… anns an oifis – … in the office

… ag obair an-diugh – … working today

Tha mi airson bruidhinn ris a' mhanaidsear
I would like to speak to the manager

Read the following conversation and fill in the gaps with the appropriate words or phrases from the list below.

tè na bùtha – the shop assistant (female)
thig mi – I'll come

an uair sin | bhios | saor | airson | air ais | duilich

Boireannach:	Cuin a .... am manaidsear saor? Tha mi airson fhaicinn.
Tè na bùtha:	Tha mi .... Tha e a-muigh an-dràsda.
Boireannach:	Tha mi .... bruidhinn ris. Cuin a bhios e air ais?
Tè na bùtha:	Bidh e .... ann an deich mionaidean.
Boireannach:	Glè mhath. Thig mi air ais ....
Tè na bùtha:	Ceart, ma-tha. Bidh e .... an uair sin.

Woman: When will the manager be free? I want to see him. **Shop assistant:** I am sorry. He is out just now. **Woman:** I want to talk to him. When will he be back? **Assistant:** He'll be back in 10 minutes. **Woman:** Very good. I'll come back then. **Assistant:** Right, then. He'll be free then.

Freagairtean: bhios, duilich, airson, air ais, an uair sin, saor.

A | STEP BY STEP
CEUM AIR CHEUM

ASKING WHEN SOMEONE WILL BE AVAILABLE AND REPLYING

To ask when someone will be available, you say

cuin a bhios ... saor? – when will ... be free?

cuin a bhios am manaidsear ...? – when will the manager be...?

... saor – ... free

... air ais – ... back

cuin a bhios tu ...? – when will you be...?

... a-staigh – ... in

... deiseil – ... ready

bidh i... – she will be ...

... saor aig dà uair – ... free at two o'clock

... air ais ann an còig mionaidean – ... back in five minutes

cha bhi e fada – he won't be long

bidh mi ... – I'll be ...

... a-staigh a-màireach – ... in tomorrow

... deiseil ann an leth-uair a thìde – ... ready in half an hour

ARRANGING WHERE AND WHEN TO MEET SOMEONE

càit an coinnich sinn? – where will we meet?

coinnichidh mi riut ... – I'll meet you ...

... aig an stèisean – ... at the station

... anns an taigh-òsda – ... in the pub

coinnichidh mi ruibh ... – I'll meet you ...
(polite or plural)

... aig doras a' bhanca – ... at the door of the bank

... faisg air Oifis a' Phuist – ... near the Post Office

ASKING WHERE SOMEONE WILL BE AND REPLYING

càit am bi thu? – where will you be?

bidh mi ... – I'll be ...

... aig ceann an rathaid – ... at the end of the road

... aig Presto's – ... at Presto's

A' coinneachadh ri chèile
Meeting each other

You are making arrangements to meet friends at different places and for different reasons. Consider the reason for meeting and choose the best place to meet by ticking a box. Answers are at the foot of the page.

ionad nan dotairean – the doctors' surgery

stèisean nam busaichean – the bus station

A. **Tha sibh a' dol a ghabhail biadh.**

You tell your friend:

Coinnichidh mi riut...

1. **... aig doras a' bhanca** ☐

2. **... faisg air a' chafaidh** ☐

3. **... aig stèisean a' phoileis** ☐

B. **Tha sibh a' dol a cheannach biadh.**

You tell your friend:

Coinnichidh mi riut...

1. **... aig a' bhùth** ☐

2. **... anns a' bhanca** ☐

3. **... aig ceann an rathaid** ☐

C. **Tha sibh a' dol a dh'fhaicinn film.**

You tell your friend:

Coinnichidh mi riut ...

1. **... aig stèisean nam busaichean** ☐

2. **... ann an ionad nan dotairean** ☐

3. **... aig an taigh-dhealbh** ☐

Freagairtean:
A. You are going to have a meal, so you meet near the café. (2)
B. You are going to buy food, so you meet at the shop. (1)
C. You are going to see a film, so you meet at the cinema. (3)

Tòimhseachan-tarsainn Crossword

A chance to revise some of the vocabulary introduced in this section, along with words from previous sections. You can try the English or the Gaelic clues, but whichever you try the answers are the same, and they are in Gaelic.

Ceistean Beurla

Tarsainn

1. *May I …? …… mi?* (2,4)
4. *I or me* (2)
5. *Where?* (4)
8. *To him. e.g.* Tha mi a' bruidhinn …… (3)
10. *The doctor* (2,6)
11. *At all* (4)
12. *At* (3)
13. *She* (1)
14. *A word for 'the'* (1)
15. *Another word for 'the'* (2)
16. *From* (2)
18. *Their* (3)
20. *He* (1)
21. *About, concerning* (2)
22. *Son* (3)
23. *Two* (2)
25. *Fort (part of the word Edinburgh)* (3)
26. *Meet* (8)
27. *We or us* (4)

Sìos

1. *In* (3,2)
2. *May I?* Am ……? (4,2)
3. *One o'clock* (4)
6. *Busy* (5)
7. *Joiner or free* (4)
9. *Station* (8)
12. *Ann (girl's name)* (4)
17. *Ten* (5)
18. *'The' before* bòrd (2)
19. *When?* (4)
22. *Out, a-……* (4)
23. *Shut!* (4)
24. *A 'no' answer.* Chan …… (3)

Ceistean Gàidhlig

Tarsainn

1. …… mi? *(may I … ?)* (2,4)
4. Thu fhèin! (2)
5. …… a bheil thu a' fuireach? (4)
8. Tha mi airson bruidhinn …… *(to him)* (3)
10. An uair a bhios tu tinn bidh thu ag iarraidh ……. (2,6)
11. Aon fhacal airson *at all* (4)
12. Bidh mi ann …… dà uair (3)
13. Facal glè bheag airson boireannach (1)
14. Facal airson *the* (1)
15. Facal eile airson *the* (2)
16. Cò …… a tha thu? (2)
18. An taigh …… *(their)* (3)
20. Facal glè bheag airson fireannach (1)
21. A' bruidhinn …… chànanan. *(about)* (2)
22. Tha mòran ainmean a' tòiseachadh le … (3)
23. Tha .. shùil agad (2)
25. …… Eideann (3)
26. Càit an …… sinn? *(meet)* (8)
27. Gàidhlig airson *we* no *us* (4)

Sìos

1. Bidh mi deiseil …… deich mionaidean *(in)* (3,2)
2. Am …… bruidhinn riut? *(may I?)* (4,2)
3. Dè an …… a tha e? Tha e sia uairean (4)
6. Nuair a tha thu ag obair tha thu …… (5)
7. Chan eil seo daor. Tha e …(4)
9. Bidh bus agus trèan a' tighinn a-steach an seo (8)
12. Gàidhlig airson Ann (4)
17. Ochd, naoi, ……(5)
18. Facal airson *the* (2)
19. …… a bhios e saor? (4)
22. A' dol a-…… agus a' tighinn a-steach (4)
23. Tha e fuar . – …… an doras! (4)
24. Tha mi tinn. Chan …… mi gu math (3)

A| STEP BY STEP
CEUM AIR CHEUM

ASKING IF SOMEONE IS HUNGRY

To ask if someone is hungry, you say

a bheil an t-acras oirbh? – are you hungry?

To a friend or child you say

a bheil an t-acras ort? – are you hungry?

To ask if someone else is hungry, you say

a bheil an t-acras air? – is he hungry?

a bheil an t-acras oirre? – is she hungry?

SAYING SOMEONE IS HUNGRY

To respond that you are hungry, you say

tha, tha an t-acras orm, for example:

a bheil an t-acras ort? – are you hungry?

tha, tha an t-acras orm – yes, I'm hungry

To say that someone else is hungry, you respond as follows:

tha, tha an t-acras air – yes, he is hungry

tha, tha an t-acras oirre – yes, she is hungry

a bheil an t-acras air Màiri? –
is Mary hungry?

tha, tha an t-acras oirre – yes, she is hungry

ASKING IF SOMEONE IS THIRSTY

To ask if a person is thirsty, you say

a bheil am pathadh oirbh? – are you thirsty?

To a friend or child, you say

a bheil am pathadh ort? – are you thirsty?

a bheil am pathadh air Oighrig? –
is Effie thirsty?

a bheil am pathadh air? – is he thirsty?

a bheil am pathadh oirre? – is she thirsty?

Notice that you use the same pattern when talking about being hungry as you do for being thirsty.

SAYING SOMEONE IS THIRSTY

To respond that you are thirsty, you say

tha, tha am pathadh orm, for example:

a bheil am pathadh ort? – are you thirsty?

tha, tha am pathadh orm – yes, I'm thirsty

To say that someone else is thirsty, you say

tha am pathadh air – he is thirsty

tha am pathadh oirre – she is thirsty

a bheil am pathadh air Ailig? – is Alec thirsty?

tha, tha am pathadh air a-nis –
yes, he is thirsty now

ASKING WHETHER SOMEONE WANTS FOOD OR DRINK AND REPLYING

a bheil thu ag iarraidh ... ? – do you want ... ?

... ceapaire (le) càise – ... a cheese sandwich

tha, tapadh leat – yes, thank you

tha mi ag iarraidh ... – I want ...

... rola (le) hama – ... a ham roll

chan eil, tapadh leibh – no, thanks

chan eil mi ag iarraidh càil –
I don't want anything

Acras agus pathadh
Hunger and thirst

In the spaces provided write the Gaelic sentence which best suits the situation. The first one has been done for you.

A. Ask a young family member if she is hungry.

A bheil an t-acras ort?

B. Ask a friend if he is thirsty.

....

C. Tell someone that you are hungry.

....

D. Ask someone you don't know too well if (s)he is thirsty.

....

E. Ask a friend if (s)he wants a glass of water.

....

F. Tell someone that a male friend is thirsty.

....

Freagairtean: B. A bheil am pathadh ort? **C.** Tha an t-acras orm. **D.** A bheil am pathadh oirbh? **E.** A bheil thu ag iarraidh glainne uisge? **F.** Tha am pathadh air.

ASKING WHAT SOMEONE WILL HAVE TO EAT OR DRINK

To ask someone what they will have to eat or drink, you say

dè ghabhas sibh? – what will you have?

To a friend or child, you say

dè ghabhas tu? – what will you have?

To ask what someone else will have, you say

dè ghabhas i? – what will she have?

dè ghabhas e? – what will he have?

dè ghabhas iad? – what will they have?

dè ghabhas Seonag? – what will Joan have?

dè ghabhas a' chlann? – what will the children have?

Or you can say

dè tha sibh ag iarraidh ri òl? – what do you want to drink?

dè tha i ag iarraidh ri ithe? – what does she want to eat?

SAYING WHAT FOOD OR DRINK YOU WILL HAVE

To say what food or drink you will have, you say

gabhaidh mi ... – I'll have ...

dè ghabhas tu? – what will you have?

gabhaidh mi ... – I'll have ...

... staoig – ... steak

... cearc ròsda – ... roast chicken

... feòil ròsda – ... roast meat

... bradan – ... salmon

... sgait – ... skate

... feusgain – ... mussels

... deoch bhainne – ... a drink of milk

... reòiteag – ... (an) ice cream

SAYING THE FOOD IS NEARLY READY

tha am biadh gu bhith deiseil – the food is nearly ready

tha e gu bhith deiseil – it's nearly ready

SAYING WHAT FOOD OR DRINK SOMEONE ELSE WILL HAVE

gabhaidh e ... – he will have ...

... hama – ... ham

... sgona – ... a scone

gabhaidh i ... – she will have ...

... tomàto – ... a tomato

... leatas – ... lettuce

gabhaidh iad ... – they will have ...

... uighean – ... eggs

... brisgean – ... crisps

gabhaidh an gille sùgh orains – the boy will have orange juice

gabhaidh Eòghann ubhal – Ewan will have an apple

Anns a' bhaile   In town

Two friends meet in town on Saturday and again on the following Thursday. Study the dialogues and fill in the table in English.

1. Disathairne (anns a' chafaidh)

Calum:	A bheil an t-acras ort?
Cairistìona:	Tha gu dearbh.
Calum:	Dè ghabhas tu?
Cairistìona:	Gabhaidh mi hama, ugh agus tomàto.
Calum:	Gabhaidh mise dìreach tì agus briosgaid.
Cairistìona:	Dè tha ceàrr?
Calum:	Chan eil càil. Chan eil an t-acras orm.

2. Diardaoin (anns an taigh-òsda)

Cairistìona:	A bheil an t-acras ort a-nis?
Calum:	Tha, agus tha am pathadh orm cuideachd.
Cairistìona:	Dè ghabhas tu?
Calum:	Gabhaidh mi leth-phinnt agus tè bheag. Dè ghabhas tu fhèin?
Cairistìona:	Chan eil am pathadh ormsa idir. Ach gabhaidh mi sùgh tomàto.

	Ghabh Calum ... Calum had ...	Ghabh Cairistìona... Christine had ...
Saturday:	....	....
Thursday:	....	....

ASKING WHAT FOOD OR DRINK A PERSON WOULD LIKE

To ask what someone would like, you say

dè bu toigh leibh?

or

dè bu chaomh leibh? – what would you like?

To ask if someone would like a particular item, you say

am bu toigh leibh … ?

or

am bu chaomh leibh? – would you like … ?

… glasraich – … vegetables

… pònair – … beans

… mìlsean – … a sweet

… uachdar
… bàrr } – … cream

… measan – … fruit

… aran-coirce – … oatcakes

… salann – … salt

To a friend you would say

am bu toigh leat … ?

or

am bu chaomh leat … ? – would you like … ?

… sùgh ubhail – … apple juice

… pìos eile – … another piece

… fìon geal no fìon dearg – white or red wine

… AND REPLYING

To reply to **am bu toigh leat … ?** you respond

bu toigh l' – yes, I would like

or

cha bu toigh l' – no, I wouldn't like

To reply to **am bu chaomh leat… ?** you respond

bu chaomh l' – yes, I would like

or

cha bu chaomh l' – no, I wouldn't like

am bu toigh leat siùcar? – would you like sugar?

cha bu toigh l', tapadh leat – no, thanks

am bu toigh leat bainne cuideachd? – would you like milk as well?

bu toigh l', mas e do thoil e – yes, please

You can also give extended responses, such as

bu toigh l', bu toigh leam fìon dearg – yes, I would like red wine

cha bu chaomh l', chan eil an t-acras orm – no, I'm not hungry

SAYING YOU HAVE HAD ENOUGH

To tell someone you have been given enough, you say

tha sin gu leòr – that's enough

or

fòghnaidh sin – that's sufficient

tha mi làn – I'm full

an gabh thu tuilleadh fìon? – will you have more wine?

cha ghabh, tha sin gu leòr – no, that is enough

cha ghabh, ghabh mi cus – no, I've had too much

Stad!
Fòghnaidh sin.

ASKING FOR MORE AND REPLYING

The word for more is **tuilleadh** and to ask for more, you say

am faigh mi tuilleadh? – can I get (some) more?

am faigh mi tuilleadh … ? – can I get more … ?

… cofaidh – … coffee

… fìon – … wine

To respond to **am faigh … ?** you say

gheibh – yes, you can

chan fhaigh – no, you can not

You can also give extended responses, such as

gheibh, fuirichibh mionaid – yes, wait a minute

A negative reply could be

chan fhaigh, tha mi duilich, chan eil càil air fhàgail – no, I'm sorry, there is nothing left

ASKING FOR A TABLE IN A RESTAURANT

To ask for a table, you say

am faigh sinn bòrd ... ? – can we get a table ... ?

... airson dithis – ... for two

... airson triùir – ... for three

am faigh mi bòrd ... ? – can I get a table ... ?

... dìreach airson aon duine – ... just for one person

... AND RESPONDING

gheibh, trobhadaibh – yes you can, come (along)

gheibh, thall an siud – yes, over there

gheibh, aig an uinneig – yes, at the window

gheibh, thigibh an taobh seo – yes, come this way

or

chan fhaigh, tha mi duilich, tha e ro anmoch – no, I'm sorry, it's too late

tha mi duilich, tha sinn ... – I'm sorry, we're...

... dùinte – ... shut

... làn – ... full

---

1. Dè bu toigh leibh airson tòiseachadh?

Bu toigh leam ....

2. Dè ghabhas sibh an uair sin?

Gabhaidh mi ....

3. Am bu toigh leibh mìlsean?

Bu toigh l'. Gabhaidh mi ....

4. A bheil sibh ag iarraidh tì no cofaidh?

Tha, mas e ur toil e. Gabhaidh mi....................................

....

5. Am bu toigh leibh dad eile?

....

e.g. fìon, glainne uisge, tuilleadh cofaidh, pìos eile gateaux

Now cover up the questions and with a partner act out the part of customer and waiter.

Ag òrdachadh dìnneir
Ordering dinner

Study the menu and choose your meal by answering the waiter's questions.

Taigh-bìdh na Mara
Seaside Restaurant
Clàr-bìdh
(Menu)

Airson tòiseachadh

Brot an latha an-diugh

Sgadan ann an sabhs

Muasgain-chaola

❧

Am prìomh chùrsa

Staoig

Cearc ròsda

Bradan agus sailead

Sgait ann an sabhs

Feusgain anns an t-slige

Biadh àraidh an latha an-diugh

Buntàta, currain, peasraichean agus glasraich eile

❧

Mìlseanan

Reòiteag

Measan agus uachdar

Taghadh de ghateaux le uachdar

❧

Tì no cofaidh

Briosgaidean agus càise

❧

Gabhaidh sinn cairtean-creideis   £15.60

---

airson tòiseachadh – starters

am prìomh chùrsa – main course

sgadan ann an sàbhs – herring in sauce

muasgain-chaola – prawns

feusgain anns an t-slige – mussels in the shell

biadh àraidh an latha an-diugh – dish of the day

taghadh de ... – a choice of ...

A
STEP BY STEP
CEUM AIR CHEUM

ASKING WHETHER SOMEONE MUST DO SOMETHING

am feum thu … ? – must you or do you have to … ?

… falbh – … go

… a dhol a dh'obair – … go to work

… a dhol dhachaigh – … go home

… sin a dhèanamh – … do that

am feum sinn … ? – do we have to …

… èisdeachd ri sin – … listen to that

… coimhead air seo – … watch this

… sin òl – … drink that

… èirigh tràth a-màireach –
… get up early tomorrow

You will also hear the form **an fheum … ?**

TELLING SOMEONE THEY MUST DO SOMETHING

To respond that a person must do something, you say **feumaidh**:

am feum mi tighinn? – must I come?

feumaidh – yes, you must

am feum sinn suidhe? – do we have to sit?

feumaidh, feumaidh sibh suidhe –
yes, you have to sit

To say that someone must do something, you say, for example:

feumaidh e seo a dhèanamh – he must do this

feumaidh i an doras a dhùnadh –
she must shut the door

feumaidh sinn uisge fhaighinn –
we must get water

SAYING ONE DOESN'T HAVE TO DO SOMETHING

To respond that a person doesn't have to do something, you say **chan fheum**:

am feum mi ithe? – do I have to eat it?

chan fheum – no, you don't have to

am feum mi sin òl? – do I have to drink that?

chan fheum, chan fheum thu sin òl –
no, you don't have to drink that

To say that someone doesn't have to do something, you say, for example:

chan fheum mi … – I don't have to … or
I don't need to …

… càil a thoirt leam – … take anything with me

… a dhol dhan ospadal – … go to hospital

chan fheum thu … – you don't have to … or
you don't need to …

… stad an seo – … stop here

… càil ithe – … eat anything

chan fheum sibh falbh gu ceithir uairean –
you don't need to go until four o'clock

chan fheum sinn dad a cheannach –
we don't have to buy anything

The idiomatic phrase **cha leig … a leas** is commonly used in answer to **am feum?**

am feum mise a dhol ann? –
do I have to go there?

cha leig thu a leas – you don't need to

am feum sinn ticead? do we need a ticket?

cha leig sibh a leas ticead –
you don't need a ticket

> Am feum thu ticead a thoirt dhomh?

> Feumaidh.

SAYING WHAT MUST BE DONE

To say what you must do, you say

feumaidh mi ... – I must ...

... deoch a ghabhail – ... have a drink

... rudeigin ithe – ... eat something

... dèanamh deiseil – ... get ready

feumaidh sinn ... – we must ...

... falbh ann an leth-uair a thìde –
... go in half an hour

To say what others must do, you say

feumaidh sibh ... – you must ...

... stad aig a' bhùth – ... stop at the shop

... sgur a smocadh – ... stop smoking

HAVING TO PUT SOMETHING ON

feumaidh mi còta a chur orm –
I must put a coat on

feumaidh tu seacaid a chur ort –
you must put a jacket on

feumaidh e ad a chur air – he must put a hat on

feumaidh i brògan a chur oirre –
she must put shoes on

Note that the above Gaelic forms can also mean wear, for example:

feumaidh mi ad a chur orm – I must wear a hat

GIVING REASONS FOR HAVING OR NOT HAVING TO DO THINGS

am feum mi mo sheacaid a chur orm? –
do I have to put my jacket on?

feumaidh, tha e fuar a-muigh –
yes, you must, it's cold outside

am feum mi còta a chur orm? –
do I need to put a coat on?

chan fheum, tha e tioram –
no you needn't, it's dry

am feum sinn falbh a-nis? –
do we have to go now?

feumaidh... – yes, we must...

... tha cabhag orm – ... I'm in a hurry

... tha e anmoch – ... it's late

Cò rinn dè? Who did what?

Study the following situations and jot down (in Gaelic) on the chart who did, or had to do, what.

A.

Gille: Cuin a tha sinn a' falbh?
Màthair: Ann am mionaid no dhà. Seo, a ghràidh, do sheacaid.
Gille: Am feum mi seacaid a chur orm?
Màthair: Feumaidh. Tha e fuar agus tha an t-uisge ann.

B.

An duine: Tha mi sgìth. Feumaidh mi a dhol dhan leabaidh.
A' bhean: Ceart, a ghràidh.
An duine: Tha e anmoch agus bidh mi ag èirigh tràth.
A' bhean: Oidhche mhath, a ghràidh.
An duine: Oidhche mhath.

C.

Fireannach 1: Am feum mi an càr a thoirt leam?
Fireannach 2: Chan fheum. Chan eil an cafaidh fada air falbh. Faodaidh tu coiseachd.
Fireannach 1: Glè mhath. Coisichidh mi. A bheil thu ag iarraidh ceapaire?
Fireannach 2: Chan eil. Tha mi ceart gu leòr.

coisichidh mi – I'll walk

	cò?	dè?
A.		
B.		
C.		

Freagairtean: 1. Gille: feumaidh e seacaid a chur air
2. An duine: Feumaidh e a dhol dhan leabaidh
3. Fireannach 1: chaidh e dhan chafaidh

SAYING WHAT MUST BE TAKEN

feumaidh mi sgàilean a thoirt leam –
I must take an umbrella with me

feumaidh tu deoch a thoirt leat –
you must take a drink with you

feumaidh sibh airgead a thoirt leibh –
you must take money with you

feumaidh sinn biadh a thoirt leinn –
we must take food with us

feumaidh iad aodach a thoirt leotha –
they must take clothes with them

HAVING TO HURRY

feumaidh mi greasad orm – I must hurry

feumaidh tu greasad ort – you must hurry

feumaidh sibh greasad oirbh – you must hurry

feumaidh iad greasad orra – they must hurry

You may also hear **greastainn** and **greasachd** for **greasad** in some areas.

Seall!
Feumaidh tu
greasad ort.

HAVING TO BUY SOMETHING

To say you must buy something, you say

feumaidh mi ... a cheannach – I must buy ...

feumaidh mi stampaichean a cheannach –
I must buy stamps

feumaidh mi na ticeadan a cheannach –
I must buy the tickets

's e co-latha breith Mamaidh a th' ann –
it's Mum's birthday

feumaidh mi flùraichean a cheannach –
I must buy flowers

Dè dh'fheumas tu a dhèanamh?
What must you do?

You are busy during your holidays. Write down what you have to do in each situation.

1. You are going for a walk, but it's raining. Say what you must put on.

2. You are late for your dental appointment and have to hurry.

3. You remember it's your mother's birthday. You have to buy a card.

4. You are going on a trip and the train is leaving in fifteen minutes. You have to go now.

5. You have been hill-walking. You feel thirsty.

6. You remember there is a good programme on television.

7. You tell yourself you must stop smoking

8. You are going shopping with friends. You remind them (jokingly) that they must take money with them.

Freagairtean: 1. Feumaidh mi còta / seacaid a chur orm. **2.** Feumaidh mi greasad orm. **3.** Feumaidh mi cairt a cheannach. **4.** Feumaidh mi falbh a-nis. **5.** Feumaidh mi rudeigin òl. / Feumaidh mi deoch a ghabhail. **6.** Feumaidh mi an telebhisean a chur air. / Feumaidh mi coimhead air a' phrògram. **7.** Feumaidh mi sgur a smocadh. **8.** Feumaidh sibh airgead a thoirt leibh.

ASKING WHEN SOMETHING MUST HAPPEN AND REPLYING

To ask when someone must do something or go somewhere, you say

cuin a dh'fheumas tu … ? – when must you … ?

… falbh – … go

… èirigh – … get up

… a bhith ann – … be there

… a dhol air ais a dh'obair – … go back to work

feumaidh mi … – I must …

… falbh an-dràsda fhèin – … go right away

… falbh ann an còig mionaidean –
… go in five minutes

… èirigh aig seachd uairean –
… get up at seven o'clock

… a bhith ann mus fhalbh e –
… be there before he/it goes

… a dhol air ais ann an uair a thìde –
… go back in an hour

A' dol air saor-làithean Going on holiday

There are 6 in the Gillies family – Angela and Calum Gillies, Ina (13), Calum Og (10), Jane (7) and William (4). This is the story of the first day of their holiday. Read it carefully and answer the questions. Look out for:

dhùisg – woke up
dùisgibh! – wake up!
na dùisg – awake
an toiseach – first
dh'èigh – shouted, cried
mu thràth – already
leum iad – they jumped, leapt
chuir – put (past tense)
ghabh – took
port-adhair – airport

'S e latha brèagha anns an luchar a bh' ann. Bha an teaghlach MacGilliosa a' dol air saor-làithean dhan Fhraing. Dhùisg Calum an toiseach. Bha e leth-uair an dèidh sia.

"Feumaidh sinn èirigh," thuirt e ri (a) bhean.

"Feumaidh gu dearbh," thuirt Angela, "tha sinn a' falbh dhan Fhraing an-diugh!"

Chaidh i dhan rùm aig Uilleam agus Calum Og.

"Dùisgibh!" dh'èigh i. "Tha sinn a' falbh dhan Fhraing an-diugh."

"Hu-rè," dh'èigh Uilleam agus Calum agus leum iad a-mach às an leabaidh.

"Feumaidh sibh greasad oirbh," thuirt am màthair. "Tha am plèan a' fàgail aig ochd uairean."

Chaidh i an uair sin dhan rùm aig Ina.

"Eirich, Ina!" dh'èigh i, "tha e seachd uairean." Bha Ina na dùisg. "Cuin a dh'fheumas sinn a bhith aig a' phort-adhair, a Mhamaidh?"

"Feumaidh sinn a bhith ann aig leth-uair an dèidh seachd. A-nis, greas ort, a ghràidh."

Bha Sìne na dùisg mu thràth. Dh'èirich i agus chuir i a h-aodach oirre.

"Tha am pathadh orm," thuirt Ina.

"Feumaidh sinn deoch a thoirt leinn, ma-tha," thuirt a h-athair.

"Tha sùgh orains anns a' frids. Cuir dhan chàr e."

Chuir i an sùgh orains dhan chàr. Chuir i fhèin agus a h-athair na bagaichean dhan chàr cuideachd.

Ghabh iad am bracaist. Bha iad deiseil airson falbh.

Ceistean

1. Càit a bheil an teaghlach MacGilliosa a' dol?

2. Am feum iad greasad orra?

3. Cuin a dh'fheumas iad a bhith aig a' phort-adhair?

4. Am feum iad deoch a thoirt leotha?

5. Cò chuir na bagaichean dhan chàr?

Freagairtean: 1. Tha iad a' dol dhan Fhraing. **2.** Feumaidh. **3.** Feumaidh iad a bhith aig a' phort-adhair aig leth-uair an dèidh seachd. **4.** Feumaidh, feumaidh iad sùgh-orains a thoirt leotha. **5.** Chuir Ina agus a h-athair na bagaichean dhan chàr.

It was a beautiful day in July. The Gillies family were going to France on holiday. Calum woke up first. It was half past six. "We must get up," he said to his wife. "Yes, indeed," said Angela, "we are going to France today!" She said to his wife. "We must get up," he said to his wife. "Yes, indeed," said Angela, "we are going to France today!" "Wake up!" She went to William and Calum Og's room. "Hurrah," cried William and Calum and they leapt out of bed. "You must hurry up," said their mother. "The plane leaves at eight o'clock." She then went to Ina's room. "Get up, Ina!" she cried, "it's seven o'clock." Ina was awake. "When do we have to be at the airport, Mum?" "We have to be there at half past seven. Now dear, hurry up." Jane was already awake. She got up and put on her clothes. "I'm thirsty," Ina said. "We must take a drink with us, then," said her father. "There is orange juice in the fridge. Put it in the car." She put the orange juice in the car. She and her father put the bags in the car as well. They had breakfast. They were ready to go.

ASKING WHERE A PARTICULAR PLACE IS

To ask where a particular place is, you use **càit a bheil?**

càit a bheil … ? – where is … ?

… an taigh-bìdh – … the restaurant

… Sràid a' Chaisteil – … Castle Street

You may also ask:

a bheil fhios agaibh càit a bheil … ? –
      do you know where … is?

… an leabharlann – … the library …

… an t-ionad spòrs – … the sports centre …

or

a bheil fhios agad càit a bheil … ? –
      do you know where … is?

… Banca na h-Alba – … the Bank of Scotland …

… An Eaglais Chaitligeach – … the Catholic Church …

TELLING WHERE A PARTICULAR PLACE IS

To respond to a question such as

càit a bheil Oifis a' Phuist? – where is the Post Office?

you could say

tha i … – it is …

… shìos an sin – … down there

… air Sràid Earra-Ghaidheal – … on Argyll Street

… faisg air a' gharaids – … near the garage

… ri taobh na sgoile – … beside the school

… ri taobh na h-aibhne – … beside the river

If the word for the place is masculine,
you use **e** instead of **i**:

càit a bheil an t-amar snàmh? –
      where is the swimming pool?

tha e … – it is …

… air Sràid na Drochaide – … on Bridge Street

… faisg air an abhainn – … near the river

… faisg air a' Bhanca Rìoghail –
      … near the Royal Bank

… dìreach ri taobh na h-aibhne –
      … just beside the river

Innis càit a bheil iad
Tell where they are

Help visitors by telling them where the numbered locations are. The letters **b** (**boireann**) or **f** (**fireann**) indicate whether a word is feminine or masculine. In some cases, you can answer in more than one way. Possible answers are given at the foot of the page.

1. Gabhaibh mo leisgeul, càit a bheil Oifis a' Phuist?

Tha i air Sràid na Drochaide, ri taobh an taigh-cluiche.

2. A bheil fhios agaibh càit a bheil a' gharaids?

3. A bheil fhios agaibh càit a bheil Eaglais na h-Alba?

4. Gabhaibh mo leisgeul, càit a bheil an leabharlann?

5. A bheil fhios agaibh càit a bheil Banca na h-Alba?

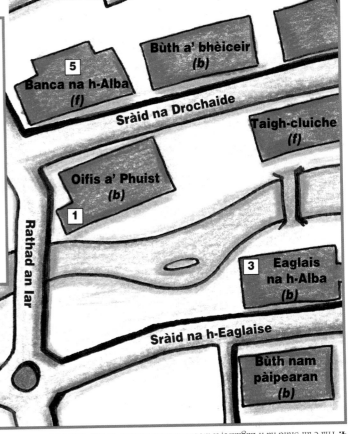

Giving directions
A' toirt seachad seòlaidhean

SAYING SOMETHING IS ON YOUR RIGHT

air do làimh dheis – on your right or on your right hand side

the formal usage is **air ur làimh dheis**

gabhaibh mo leisgeul, càit a bheil an tràigh? – excuse me, where is the beach?

tha i ... – it is ...

... mu cheithir mìle air falbh, air ur làimh dheis – ... about four miles away, on your right

SAYING SOMETHING IS ON YOUR LEFT

air do làimh chlì – on your left or on your left hand side

càit a bheil meadhan a' bhaile? – where is the town centre?

gabh a' chiad rathad air do làimh chlì – take the first road on your left

tha e seachad air na solais, air ur làimh chlì – it is past the lights, on your left

Càit a bheil Oifis a' Phuist?

Tha i shuas an sin air ur làimh dheis.

TELLING SOMEONE TO TURN RIGHT OR LEFT

ciamar a gheibh mi dhan taigh-dhealbh? – how do I get to the cinema?

tionndaidhibh ... – turn ...

... ris an làimh dheis aig na solais– ... to the right at the lights

tionndaidh ... – turn ...

... shuas an sin ris an làimh chlì agus thig sibh thuige – ... up there to the left and you will come to it

ASKING HOW TO GET TO A PLACE

To ask how to get to a place, you use

ciamar a gheibh mi ... ? – how do I get ... ?

ciamar a gheibh mi a Ghlaschu?
or
ciamar a gheibh mi gu Glaschu? – how do I get to Glasgow?

ciamar a gheibh mi chun nam bùthan? – how do I get to the shops?

ciamar a gheibh mi dhan amar snàmh? – how do I get to the swimming pool?

ciamar a gheibh sinn a dh'Inbhir Nis à Dùn Eideann? – how do we get to Inverness from Edinburgh?

faodaidh sibh ... – you may ...

... trèan no bus a ghabhail – ... take a train or bus

... a dhol ann le càr – ... go by car

ciamar a gheibh mi a Bharraigh? – how do I get to Barra?

feumaidh tu ... – you must ...

... bàta a ghabhail às an Oban – ... take a boat from Oban

... plèan fhaighinn à Glaschu – ... get a plane from Glasgow

SAYING WHAT ROAD TO TAKE

faodaidh sibh ... – you may ...

... a dhol ann air an M8 – ... go there on the M8

... a dhol sìos an rathad sin – ... go down that road

... an A9 no an A82 a ghabhail – ... take the A9 or A82

TELLING HOW FAR AWAY SOMETHING IS

tha e ... – it is ...

... mìle air falbh – ... a mile away

... mu mhìle air falbh – ... about a mile away

... mu dhà mhìle air falbh – ... about two miles away

... mu thrì mìle deug air falbh – ... about thirteen miles away

chan eil e fada air falbh – it's not far away

A' toirt seachad seòlaidhean

TELLING A PERSON TO CARRY ON

a bheil stèisean peatrail faisg air seo?
 – is there a petrol station near here?

cumaibh oirbh ... – carry on ...

... sìos an rathad seo airson mìle –
 ... down this road for a mile

... agus thig sibh gu fear air ur làimh dheis –
 ... and you will come to one on your right

... agus chì sibh fear air ur làimh chlì –
 ... and you will see one on your left

cum ort... – carry on...

**... airson trì mìle, agus
chì thu air do làimh dheis e** –
 ... for three miles, and you'll see it on your right

**feumaidh sibh a dhol air
adhart dà mhìle** –
 you have to go on for two miles

SAYING HOW TO GET TO A PARTICULAR PLACE

ma thèid sibh ... – if you go ...

... suas an t-sràid sin, chì sibh e –
 ... up that street, you'll see it

**... seachad air na solais,
tha e dìreach air ur làimh dheis** –
 ... past the lights, it's just on your right

Ceann-uidhe agus modh-siubhail
Destination and mode of transport

Visitors requiring travel information go to a Tourist Information Office. Read the conversations they have in the office and work out each one's **ceann-uidhe** – destination and **modh-siubhail** – mode of transport.

oifigeach – official
neach-siubhail – traveller

A.

Oifigeach:	Madainn mhath.
Neach-siubhail:	Madainn mhath. Tha mi airson a dhol a Steòrnabhagh. Ciamar a gheibh mi ann?
Oifigeach:	Feumaidh sibh bus a ghabhail gu Ulapul. An uair sin gheibh sibh bàta à Ulapul gu Steòrnabhagh.
Neach-siubhail:	Glè mhath. Mòran taing.

B.

Oifigeach:	Feasgar math.
Neach-siubhail:	Feasgar math. Ciamar a gheibh mi gu Glaschu? A bheil trèan ann à Inbhir Nis?
Oifigeach:	Tha gu dearbh. Gheibh sibh bus no trèan no plèan à Inbhir Nis.
Neach-siubhail:	Glè mhath. Gheibh mi an trèan. Càit a bheil an stèisean?
Oifigeach:	Tha e faisg air Sràid na h-Acadamaidh, ri taobh an leabharlainn.
Neach-siubhail:	Tapadh leibh.

C.

Neach-siubhail:	Madainn mhath.
Oifigeach:	Madainn mhath.
Neach-siubhail:	Gabhaibh mo leisgeul. Tha mi a' fàgail airson Lunnainn an-diugh air a' phlèan. Ciamar a gheibh mi dhan phort-adhair?
Oifigeach:	Cumaibh oirbh suas an rathad seo airson trì mìle. Chì sibh am port-adhair air ur làimh dheis.
Neach-siubhail:	Mòran taing.
Oifigeach:	'S e ur beatha.

	ceann-uidhe	modh-siubhail
A		
B		
C		

Freagairtean:
A. Steòrnabhagh Bus agus bàta B. Glaschu Trèan C. Lunnainn Plèan

GIVING REASONS FOR NOT BEING ABLE TO HELP

If you are unable to give directions, you can respond

tha mi duilich, chan eil fhios agam –
I'm sorry, I don't know

Other possible responses are:

tha mi duilich, chan eil mi a' fuireach an seo –
I'm sorry, I don't live here

tha mi duilich, chan eil mi eòlach an seo –
I'm sorry, I don't know this place well

SAYING WHERE SOMEONE OR SOMETHING IS

To say in front of, you use

air beulaibh – in front of

càit am faigh mi tacsaidh? –
where will I get a taxi?

gheibh sibh tacsaidh ... – you'll get a taxi ...

... air beulaibh an stèisein –
... in front of the station

... air beulaibh a' bhanca – ... in front of the bank

Notice that phrases in this unit like

ri taobh
air beulaibh
air cùlaibh

sometimes cause changes in the words following them, e.g.

ri taobh na h-aibhne – beside the river

that is, **abhainn** becomes **aibhne**

This also happens in phrases like
Sràid na h-Eaglaise. These changes are explained in *Ciamar a tha an cànan ag obrachadh?*

To say behind, you use

air cùlaibh – behind

càit a bheil an t-ospadal? – where is the hospital?

tha e ... – it is ...

... air cùlaibh na sgoile – ... behind the school

... air cùlaibh a' mhargaidh –
... behind the market

Seòlaidhean Directions

You are helping people to get from A to B and from C to D. Tick the box for the correct direction.

Seòlaidhean A gu B

1. Tionndaidhibh ris an làimh dheis gu Ionad Charnegie, agus cumaibh oirbh airson cilemeatair ❑

2. Tha i shuas an sin air ur làimh chlì air cùlaibh Bùth nan Geansaidhean ❑

3. Cumaibh olrbh suas Sràid na Bànrigh airson dà cheud meatair. Chì sibh i air ur làimh dheis ❑

Seòlaidhean C gu D

1. An tràigh! Cumaibh oirbh suas Sràid na Bànrigh airson mìle. Chì sibh an tràigh dìreach air ur beulaibh. ❑

2. Tionndaidhibh ris an làimh dheis a-steach gu Ionad Theàrlaich. Chì sibh an tràigh air ur beulaibh. ❑

3. Cumaibh oirbh airson dà fhichead meatair agus tionndaidhibh ris an làimh chlì a-steach gu Sràid na h-Eaglaise. Chi sibh i air ur làimh dheis. ❑

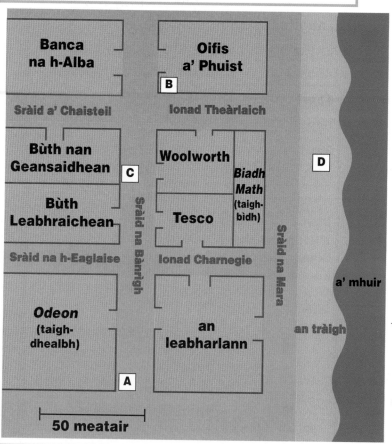

A' cur air dòigh saor-làithean

SAYING YOU WOULD LIKE TO GO ON HOLIDAY

To say you would like to go on holiday, you say

tha mi airson a dhol air saor-làithean

or

bu toigh leam a dhol air saor-làithean –
I'd like to go on holiday

Remember you can use **làithean-saora** as well as **saor-làithean** for holidays.

ASKING WHERE SOMEONE IS GOING AND REPLYING

càit a bheil sibh a' dol? – where are you going?

tha mi a' dol ... – I'm going ...

... a-null thairis – ... abroad

... dhan Fhraing – ... to France

tha sinn a' dol ... – we are going ...

... a dh'Ameireaga – ... to America

... dhan t-Suain – ... to Sweden

SAYING WHERE YOU WOULD LIKE TO GO

tha mi airson a dhol ... – I'd like to go ...

... dhan Spàinn – ... to Spain

... a dh'Astràilia – ... to Australia

tha mi airson a dhol gu ... – I'd like to go to ...

... Fèis Dhùn Eideann – ... the Edinburgh Festival

... na Geamannan Oilimpigeach –
... the Olympic Games

DISCUSSING WHEN TO GO

cuin a tha sibh airson a dhol ann? –
when would you like to go?

tha sinn airson a dhol ann ... – we'd like to go ...

... sa gheamhradh – ... in winter

... san Lùnasdal – ... in August

tha mi airson a dhol ... – I'd like to go ...

... dhan Chuimrigh as t-samhradh –
... to Wales in summer

... a dh'Eirinn sa Ghiblean – ... to Ireland in April

bu toigh leam falbh ... – I'd like to go ...

... a Chanada am-bliadhna –
... to Canada this year

... an ath mhìos – ... next month

DISCUSSING HOW LONG THE HOLIDAY WILL BE

dè cho fada 's a bhios sibh ...? –
how long will you be ...?

... air falbh – ... away

... thall thairis – ... abroad

... ann an Lunnainn – ... in London

bidh sinn air falbh ... – we'll be away ...

... airson seachdain
... fad seachdain } – ... for a week

... airson deich latha – ... for ten days

... airson coladeug – ... for a fortnight

... dìreach dà latha – ... just two days

... airson deireadh na seachdain –
... for the weekend

bidh sinn ... – we'll be ...

... ann an Sealtainn airson dà sheachdain –
... in Shetland for two weeks

... air ais Dihaoine – ... back on Friday

Notice that going abroad is **a' dol a-null thairis** but when someone is abroad it is **thall thairis**.

Càit a bheil iad a' dol?
Where are they going?

Read or act out the conversation between Diana and Eilidh. Write down in English (a) where Eilidh is going and for how long and (b) where Diana would like to go and when. A translation is provided below.

Diana: Càit a bheil sibh a' dol am-bliadhna?

Eilidh: Tha sinn a' dol a-null thairis.

Diana: O! Càit?

Eilidh: Dhan Fhraing. Bidh sinn air falbh airson coladeug.

Diana: Glè mhath. Tha sinne airson a dhol a Chanada am-bliadhna.

Answers: ....

....

Diana: Where are you going this year? Eilidh: We're going abroad. Diana: Oh! Where? Eilidh: To France. We'll be away for a fortnight. Diana: Very good. We'd like to go to Canada this year.

ASKING WHEN SOMEONE IS GOING AND RESPONDING

cuin a bhios sibh a' falbh? –
when will you be going?

bidh sinn a' falbh ... – we'll be going ...

... ann an seachdain – ... in a week

... aig deireadh na seachdain –
... at the end of the week

... ann an uair a thìde – ... in an hour

ASKING IF ANYONE ELSE IS GOING AND REPLYING

a bheil duine a' dol ann ... ? –
is there anyone going ... ?

... còmhla riut – ... with you

... còmhla ruibh – ... with you (plural and polite form)

tha a' bhean agam a' dol ann cuideachd –
my wife is going too

tha an duine agam a' tighinn còmhla rium –
my husband is coming with me

chan eil duine a' dol còmhla rium –
nobody is going with me

ASKING WHERE SOMEONE IS STAYING AND RESPONDING

To ask someone where they'll be staying, you say

càit a bheil sibh a' dol a dh'fhuireach? –
where are you going to stay?

or

càit am bi sibh a' fuireach? –
where will you be staying?

You respond:

bidh sinn a' fuireach ... – we'll be staying ...

... ann an taigh-òsda – ... in an hotel

... ann an taigh-aoigheachd – ... in a guest house

... ann an Osdail Oigridh – ... in a Youth Hostel

... ann an àite le leabaidh is bracaist –
... in a bed and breakfast place

... còmhla ri càirdean –
... with relatives

ARRIVING AND COMING BACK

cuin a bhios sibh a' ruighinn? –
when will you be arriving?

bidh sinn a' ruighinn ... – we'll be arriving ...

... madainn Diluain – ... on Monday morning

... aig leth-uair an dèidh còig –
... at half past five

cuin a bhios tu ... ? – when will you be ... ?

... air ais – ... back

... a' tighinn air ais – ... coming back

bidh mi air ais ... – I'll be back ...

... ann an coladeug – ... in a fortnight

... Diardaoin seo tighinn – ... next Thursday

A' lorg àite-fuirich
Seeking accommodation

Ionad Fiosrachaidh Luchd-Turais
Tourist Information Centre

You require accommodation and go to a Tourist Information Office. They ask you the following questions. Tick a box for your preferred answer to each question. Translations are provided at the foot of the page.

1) Càit a bheil sibh airson fuireach?
    ann an taigh-òsda ☐
    ann an Osdail Oigridh ☐
    ann an àite le leabaidh is bracaist ☐

2) Dè cho fada 's a bhios sibh a' fuireach?
    trì latha ☐
    seachdain ☐
    coladeug ☐

3) Cia mheud duine a bhios còmhla ruibh?
    aon duine ☐
    dithis ☐
    triùir ☐

4) A bheil sibh airson fuireach anns a' bhaile no air an dùthaich?
    am baile ☐
    an dùthaich ☐

1. Where would you like to stay? in a hotel; in a Youth Hostel; in a bed and breakfast place. **2.** How long will you be staying? three days; a week; a fortnight. **3.** How many people will be with you? one person; two people; three people. **4.** Would you like to stay in the town or in the country? the town; the country.

DISCUSSING WHERE TO STAY FOR THE NIGHT

càit am fuirich sinn a-nochd? –
where will we stay tonight?

faodaidh sinn fuireach ... – we may stay ...

... an sin – ... there

... ann an àite le leabaidh is bracaist –
... in a bed and breakfast place

Other, more extended, suggestions could be:

tha sinn faisg air Muileann Gaoithe, faodaidh sinn fuireach an sin –
we're near Milngavie, we can stay there

sin àite shuas an sin – bidh e ceart gu leòr, nach bi? –
there's a place up there – it'll be OK, won't it?

tha e a' fàs anmoch – feumaidh sinn fuireach an seo –
it's getting late – we'll have to stay here

BOOKING ACCOMMODATION

To book a room in an hotel, you say

am faigh mi ... ? – may I get ...?

... rùm singilte – ... a single room

... rùm dùbailte – ... a double room

... rùm airson dithis – ... a room for two

... rùm le rùm-ionnlaid –
... a room with a bathroom

If you were making an advance booking, you could say

am faigh mi ... ? – may I get ...?

... rùm oidhche Shathairne –
... a room on Saturday night

... rùm teaghlaich airson na h-ath sheachdain
– ... a family room for next week

You can, of course, use **mas e ur toil e** (please), in the above situations. Possible responses might be:

gheibh gu dearbh – you may indeed

gheibh, bidh sinn ceart gu lèor –
yes, that will be fine

ASKING HOW LONG SOMEONE IS STAYING, AND RESPONDING

To ask how long a person is staying, you say

dè cho fada 's a bhios sibh a' fuireach? –
how long will you be staying?
or
cia mheud oidhche a bhios sibh a' fuireach? –
how many nights will you be staying?

Possible responses are:

dìreach a-nochd – just tonight

dà oidhche – two nights

trì oidhcheannan – three nights

bidh sinn a' fuireach seachdain –
we'll be staying for a week

ASKING HOW MUCH A ROOM COSTS AND RESPONDING

To ask how much a room costs, you say

dè tha an rùm a' cosg?
or
dè na tha an rùm? – how much is the room?

tha e ... – it is ...

... leth-cheud not – ... fifty pounds

... fichead not 's a còig
... còig nota fichead } – ... twenty-five pounds

BUYING TICKETS

To ask for a ticket, you just say

ticead gu ... – a ticket to ...

... Inbhir Aora, mas e ur toil e – ... to Inveraray, please

... Baile Dhubhthaich agus air ais, mas e ur toil e –
... to Tain and back, please

A' cur air dòigh saor-làithean

Gèam nan saor-làithean   The holiday game

Using **dìsinn** (dice) and **cunntairean** (counters) start at **an toiseach** (the start) until you come to **an deireadh** (the end).

an t-Sròn Reamhar – Stranraer

A player wins a holiday when (s)he lands on a red box. The winner is the person who has collected most holidays at the end of the game. The other boxes in the same horizontal strip tell more about each holiday. In the event of a draw there can be a tiebreaker.

an toiseach	**seachdain anns an Spàinn airson an teaghlaich** →	**bidh sibh a' falbh ann an seachdain** →	**bidh sibh faisg air a' mhuir** ↓
bidh sibh a' dol gu gèam ball-coise ↓	**bidh ceathrar charaidean còmhla riut** ←	**bidh sibh a' fuireach ann an taigh-òsda mòr** ←	**deireadh seachdain ann an Glaschu**
coladeug ann an Eirinn	**gheibh sibh bàta bhon t-Sròn Reamhar** →	**bidh sibh a' fuireach ann an taighean-aoigheachd** →	**bidh ceòl, deoch agus biadh gu leòr ann** ↓
bidh sibh air falbh airson trì seachdainean ↓	**'s e saor-làithean teaghlaich a bhios ann** ←	**gheibh sibh plèan à Glaschu** ←	**bidh sibh a' dol a-null thairis a Chanada**
trì latha ann am Bàgh a' Chaisteil	**gheibh sibh plèan à Glaschu** →	**bidh sibh a' fuireach ann an àite le leabaidh is bracaist** →	**bidh sibh a' dol gu Fèis Bharraigh** ↓
bidh dealbhan-cluiche, ceòl agus dannsa gu leòr ann ↓	**bidh rùm-dùbailte agaibh le rùm-ionnlaid** ←	**bidh sibh a' fuireach ann an taigh-òsda** ←	**dà latha airson dithis aig Fèis Dhùn Eideann**
seachdain ann an Sealtainn airson aon duine	**gheibh thu am plèan à Inbhir Nis** →	**bidh thu a' fuireach ann an Osdail Oigridh** →	**bidh thu a' tighinn air ais Disathairne** ↓
an deireadh ←	**bidh thu a' dol gu Eurodisney** ←	**bidh sibh a' fuireach ann an taigh-òsda** ←	**seachdain airson dithis anns an Fhraing**

A STEP BY STEP CEUM AIR CHEUM

ASKING IF SOMEONE CAN DO SOMETHING

To ask if someone can, or is able to, do something, you say **an urrainn** …

an urrainn dhuibh … ? – can you … ?

… peantadh – … paint

… snàmh – … swim

… dealbh a dhèanamh – … make a picture

… seo obrachadh – … work this

… sin a dhèanamh – … do that

… sin a chàradh – … mend that

To a friend or child, you say

an urrainn dhut … ? – can you … ?

… sgitheadh – … ski

… ball-coise a chluich – … play football

… mo chuideachadh – … help me

… tighinn a-nall aig leth-uair an dèidh sia – …come over at half past six

SAYING YOU CAN DO SOMETHING

To respond that you can do something, you say **'s urrainn** …

an urrainn dhuibh cluich an-diugh? – can you play today?

's urrainn – yes, I can

an urrainn dhut marcachd? – can you ride?

's urrainn, 's urrainn dhomh marcachd –

'S urrainn dhomh marcachd!

an urrainn dhut seinn? – can you sing?

's urrainn … – yes, I can …

… tha mi a' seinn ann an còisir – … I sing in a choir

… an urrainn dhut fhèin seinn? – …can you sing yourself?

SAYING YOU CANNOT DO SOMETHING

To respond that you cannot do something, you say **chan urrainn** …

an urrainn dhuibh dràibheadh? – can you drive?

chan urrainn – no, I can't

chan urrainn, tha mo dhruim goirt – no, I can't, my back is sore

an urrainn dhut a dhol dhan bhaile a-màireach? – can you go to town tomorrow?

chan urrainn, tha mi ag obair – no, I can't, I'm working

SAYING SOMEONE ELSE CAN DO SOMETHING

To say someone else can do something, you say

's urrainn do dh'Iain … – John can …

… streap – … climb

… a dhèanamh – … do it

's urrainn do Mhòrag … – Morag can …

… a' chlàrsach a chluich – … play the harp

… campadh an seo – … camp here

's urrainn dhi … – she can …

… dannsadh – … dance

… càr a dhràibheadh – … drive a car

's urrainn dha … – he can …

… tuilleadh fhaighinn – … get more

… seo a leughadh – … read this

's urrainn dhaibh … – they can …

… Gàidhlig ionnsachadh anns an sgoil – … learn Gaelic in school

… uile sgrìobhadh – … all write

Comasan Abilities

The following are statements relating to skills and abilities. They may or may not be true in your case. Read the statements and tick the appropriate box.

	ceart	ceàrr
'S urrainn dhomh seinn.	☐	☐
'S urrainn dhomh marcachd.	☐	☐
'S urrainn dhomh sgitheadh.	☐	☐
'S urrainn dhomh streap.	☐	☐
'S urrainn dhomh dannsadh.	☐	☐
Chan urrainn dhomh dràibheadh.	☐	☐
'S urrainn dhomh golf a chluich.	☐	☐
Chan urrainn dhomh ball-coise a chluich.	☐	☐
Chan urrainn dhomh èirigh tràth.	☐	☐
Chan urrainn dhomh càr a chàradh.	☐	☐

If you are a member of a learners' group, why not ask a group member questions based on the above statements, e.g. **An urrainn dhuibh dràibheadh?** or **An urrainn dhut dràibheadh?**

Dè as urrainn dhaibh a dhèanamh? What can they do?

Read through, or act out, the following conversations and jot down what the characters can, or cannot, do. Translations are provided at the foot of the page.

1. Tha Tormod a' suidhe deuchainn dràibhidh.

Sgrùdaire: Tha i brèagha an-diugh, nach eil?

Tormod: Tha gu dearbh.

Sgrùdaire: Seall an càr sin. An urrainn dhuibh an àireamh a leughadh?

Tormod: 'S urrainn ... NSD 389L.

Sgrùdaire: Glè mhath. Tha sin ceart.

deuchainn dràibhidh – driving test
àireamh – number
sgrùdaire – examiner

2. Tha Dàibhidh agus Uilleam anns a' phàirc.

Dàibhidh: A bheil thu ag iarraidh ball-coise a chluich?

Uilleam: Chan urrainn dhomh, tha mo dhruim goirt.

Dàibhidh: Och, bidh thu ceart gu leòr.

Uilleam: Cha bhi, tha e uabhasach goirt. Chan urrainn dhomh cluich.

3. Tha Barabal a' cèilidh air Iomhar.

Barabal: Tha an t-acras orm.

Iomhar: Dè bu toigh leat?

Barabal: Omelette. An urrainn dhut omelette a dhèanamh?

Iomhar: 'S urrainn. Dè an seòrsa a bu toigh leat – tomàto, càise no balgan-buachair?

Barabal: Càise – bu toigh leam omelette le càise.

Iomhar: Glè mhath, a Bharabal. Cha bhi mi fada.

balgan-buachair – mushroom

Freagairtean

1. Tormod ....
....

2. Uilleam ....
....

3. Iomhar ....
....

---

1. Norman is sitting a driving test. Examiner: It's beautiful today, isn't it? Norman: It is indeed. Examiner: See that car. Can you read the number? Norman: Yes, I can ... NSD 389L. Examiner: Very good. That's right. 2. David and William are in the park. David: Do you want to play football? William: I can't, my back's sore. David: Och, you'll be OK. William: No, I won't, it's extremely sore. I can't play. 3. Barbara is visiting Ivor. Barbara: I'm hungry. Ivor: What would you like? Barbara: An omelette. Can you make an omelette? Ivor: Yes, I can. What kind would you like – tomato, cheese or mushroom? Barbara: Cheese – I would like a cheese omelette. Ivor: Very good, Barbara. I won't be long.

ADDING EMPHASIS

idir – at all, is sometimes used for added emphasis:

an urrainn dhut idir ... ? – can't you ... ?

... greasad ort – ... hurry up

... uachdar a ghabhail – ... take cream

... an uinneag fhosgladh – ... open the window

chan urrainn dhut ... idir – you cannot ... at all

... sin òl ... – ... drink that ...

... a dhol ann ... – ... go there ...

SAYING SOMETHING IS EASY

furasda or **soirbh** can be used to say something is easy:

an urrainn dhut sin a dhèanamh? –
can you do that?

's urrainn ... – yes, I can ...

... tha e furasda – ... it's easy

... tha sin soirbh – ... that's easy

an urrainn dhuibh an gèam seo a chluich? –
can you play this game?

's urrainn ... – yes, we can ...

... tha e a' coimhead furasda – ... it looks easy

... tha e furasda gu leòr – ... it's easy enough

... tha sinn math air – ... we're good at it

... tha e cho soirbh 's a ghabhas –
it's as easy as can be

SAYING SOMETHING IS DIFFICULT

doirbh or **duilich** can be used to say something is difficult:

an urrainn dhuibh an coimpiutair obrachadh idir? –
can't you work the computer?

chan urrainn ... – no, I can't ...

... tha e doirbh – ... it's difficult

... tha e doirbh obrachadh – ... it's difficult to work

... tha e a' coimhead doirbh – ...it looks difficult

... tha e glè dhuilich – ... it's very difficult

... tha e ro dhuilich – ... it's too difficult

... chan eil sin a' coimhead furasda idir –
...that doesn't look at all easy

Furasda no doirbh Easy or difficult

The people in the following cartoons are finding something difficult or easy. Choose the correct replies from the four given below.

a. **'S urrainn dhomh obrachadh. Tha e furasda gu leòr.**

b. **Chan urrainn, tha e glè dhoirbh.**

c. **'S urrainn, tha mi math air.**

d. **Chan urrainn dhomh a chàradh. Tha e ro dhoirbh.**

1

An urrainn dhut ball-coise a chluich?

2

An urrainn dhuibh fhosgladh?

An urrainn dhut sin a chàradh?

3

An urrainn dhut sin obrachadh?

4

Freagairtean: 1 – c; 2 – b; 3 – d; 4 – a.

GIVING REASONS FOR NOT BEING ABLE TO DO SOMETHING

an urrainn dhut cèic a dhèanamh? – can you make a cake?

chan urrainn ... – no, I can't ...

... tha mi fada ro sgìth – ... I'm far too tired

... is beag orm bèiceireachd – ... I hate baking

an urrainn dhut idir sin ithe? – can you not eat that?

chan urrainn ... – no, I can't ...

... is beag orm feòil – ... I hate meat

... tha cus ann – ... there's too much there

... tha mi làn – ... I'm full

... tha e fada ro fhuar – ...it's far too cold

an urrainn dhut seo òl idir? – can you not drink this?

chan urrainn ... – no, I can't ...

... tha e ro theth – ... it's too hot

... is beag orm leann – ... I hate beer

Notice that **idir** can come in the middle or at the end of the sentence.

MAKING A REQUEST AND REPLYING

an urrainn is often used for making a request, for example:

an urrainn dhut ... ? – can you ... ?

... an doras a dhùnadh – ... shut the door

... pàipear a cheannach dhomh – ... buy me a paper

an urrainn dhomh ... ? – can I ... ?

... am fòn agaibh a chleachdadh – ... use your phone

's urrainn, siuthadaibh – yes, you can, carry on

Coiridh Mòraig Morag's curry

Read the following account of Morag and Ann's "curry night" and then tick off the **'s urrainn** or **chan urrainn** boxes.

banacharaid – a female friend
dh'fhòn – phoned
dh'fhaighnich – asked
fhreagair – replied

coiridh Innseanach – Indian curry
gu mòr – greatly
an còrr – any more
greis – a while

Tha Mòrag ag obair ann an oifis ann am Baile na h-Aibhne. 'S e clèireach a th' innte. Tha Anna, a banacharaid, ag obair ann am bùth. Dh'fhòn Mòrag gu Anna feasgar Dihaoine.

"An urrainn dhut tighinn airson cofaidh aig uair?" dh'fhaighnich i.

"'S urrainn gu dearbh," fhreagair Anna.

"Glè mhath, chì mi aig uair thu," thuirt Mòrag.

Choinnich iad aig uair airson cupa cofaidh anns a' Chafaidh Ghorm. Is toigh le Mòrag còcaireachd agus tha i math air cuideachd.

"An urrainn dhut tighinn a-nuas a-nochd?" dh'fhaighnich Mòrag. "Tha mi a' dol a dhèanamh coiridh Innseanach."

"O, 's urrainn, bidh sin sgoinneil," thuirt Anna.

An oidhche sin chaidh Anna gu taigh Mòraig. Bha coiridh brèagha deiseil aice agus bha fìon air a' bhòrd cuideachd.

"Siuthad a-nis, suidh sìos agus ith do bhiadh," thuirt Mòrag.

Chòrd an coiridh gu mòr ri Anna. Dh'ith i cus.

"Am bu toigh leat tuilleadh?" dh'fhaighnich Mòrag.

"Chan urrainn dhomh an còrr a ghabhail," fhreagair Anna. "Tha mi fada ro làn. Tapadh leat, bha siud uabhasach math."

Bha iad a' bruidhinn airson greis. An uair sin chaidh iad a-mach gu dannsa.

1. An urrainn do Mhòrag fònadh gu Anna?
   ❑ 's urrainn   ❑ chan urrainn

2. An urrainn dhaibh a dhol airson cofaidh?
   ❑ 's urrainn   ❑ chan urrainn

3. An urrainn do Mhòrag còcaireachd?
   ❑ 's urrainn   ❑ chan urrainn

4. An urrainn do dh'Anna a dhol gu taigh Mòraig?
   ❑ 's urrainn   ❑ chan urrainn

5. An urrainn do dh'Anna tuilleadh a ghabhail?
   ❑ 's urrainn   ❑ chan urrainn

Morag works in an office in Riverton. She's a clerk. Ann, her friend, works in a shop. Morag phoned Ann on Friday afternoon. "Can you come for a coffee at one o'clock?" she asked. "Yes, indeed," replied Ann. "Very well, I'll see you at one," said Morag. They met at one o'clock for a cup of coffee in the Blue Café. Morag likes cooking and she is good at it too. "Can you come up tonight?" Morag asked. "I'm going to make an Indian curry." "Yes, I can. That'll be great!" replied Ann. That night Ann went to Morag's house. She had a beautiful curry ready and there was also wine on the table. "Come on now, sit down and eat your food," said Morag. Ann greatly enjoyed the curry. She ate too much. "Would you like more?" Morag asked. "I can't take any more," replied Ann. "I'm far too full. Thank you, that was really good." They were talking for a while. Then they went out to a dance.

A | STEP BY STEP | CEUM AIR CHEUM

ASKING WHAT SOMEONE INTENDS TO DO

To ask what someone intends, or is intending, to do, you say

a bheil dùil agad... ? – do you intend…?

... a dhol ann a-màireach – … to go there tomorrow

... a dhol a shnàmh – … to go swimming

a bheil dùil agaibh ... ? – do you intend … ?

... a bhith a-staigh Diluain – … to be in on Monday

... cluich an-diugh – … to play today

To ask what someone else intends to do, you say, for example:

a bheil dùil aice tilleadh aig uair? – does she intend to return at one o'clock?

a bheil dùil aige a dhol a dh'iasgach? – does he intend to go fishing?

STATING INTENTIONS

To say you intend to do something, you say

tha dùil agam ... – I intend …

... a dhol a-mach a-nochd – … to go out tonight

... a dhol dhan bhùth feasgar – … to go to the shop in the afternoon

tha dùil againn ... – we intend …

... fuireach gu Diluain – … to stay until Monday

... falbh air saor-làithean am-bliadhna – … to go on holiday this year

To say someone else intends to do something, you say, for example:

tha dùil aige ... – he intends …

... a dhol dhan Eilbheis am-bliadhna – … to go to Switzerland this year

... a bhith an seo Diciadain – … to be here on Wednesday

tha dùil aice ... – she intends

... tòiseachadh a dh'aithghearr – … to start soon

... a bhith a-muigh Dimàirt – … to be out on Tuesday

tha dùil aca ... – they intend …

... a bhith a-staigh Dihaoine – … to be in on Friday

... an dotair fhaicinn – … to see the doctor

To say you do not intend to do something, you say

chan eil dùil agam ... – I don't intend …

... bruidhinn ri Tòmas – … to speak to Thomas

... an teip ùr fhaighinn – … to get the new tape

... fuireach fada – … to stay long

To say someone else does not intend to do something, you say, for example:

chan eil dùil aige a dhol ann air an trèan – he doesn't intend to go there by train

chan eil dùil aice mòran a cheannach – she doesn't intend to buy much

chan eil dùil aca cus a dhèanamh – they don't intend to do too much

Dè tha dùil aca a dhèanamh?
What do they intend to do?

You have received a letter from a friend. She tells you of the plans she and her mother have for a holiday. Read the letter and then fill the gaps with the appropriate phrase listed below.

a) a bhith air falbh
b) a bhith air ais
c) a dhol air saor-làithean
d) fuireach ann am flat

15 Sràid na h-Eaglaise,
Baile an Ear,
20 Ògmhios

Eilidh chòir,

Dè do chor? Tha mi airson innse dhut mu na planaichean agam. Bidh mi deiseil anns a' cholaisde aig deireadh na mìos seo. An uair sin tha dùil agam fhìn agus aig mo mhàthair .... Tha dùil againn .... anns an Spàinn airson coladeug! Grian agus fois! Nach bi sin math? Tha dùil againn .... ann an Alicante. Tha dùil againn .... air 18 Iuchar. Chì mi an uair sin thu, tha mi an dòchas. Thoir an aire.

le deagh dhùrachd,
Cairistìona

planaichean – plans
fois – peace, a rest
nach bi sin math? – won't that be good?
a bhith air falbh – to be away
tha mi an dòchas – I hope

Translation: 15, Church Street, East Town, 20 June. Dear Eilidh, How are you doing? I want to tell you my plans. I'll be finished college at the end of this month. Then my mother and I intend to go on holiday. We intend to be away in Spain for a fortnight. Sun and peace! Won't that be good? We intend to stay in a flat in Alicante. We intend to be back on 18 July. I'll see you then, I hope. Take care. With best wishes, Christine.

Freagairtean: The order of phrases is: c, a, d and b.

ASKING WHEN SOMEONE INTENDS TO GO AND REPLYING

To ask when someone intends to go somewhere, you say

cuin a tha dùil agaibh ...?
or
cuin a tha dùil agad ...? – when do you intend ...?

... falbh – ... to go

... a dhol ann – ... to go there

... an taigh fhàgail – ... to leave the house

... a dhol air làithean-saora – ... to go on holiday

... a dhol dhan Eadailt – ... to go to Italy

Possible responses might be:

bidh sinn a' falbh anns an luchar –
we'll be going in July

cha bhi sinn a' falbh idir am-bliadhna –
we will not be going away at all this year

bidh mi a' fàgail aig ochd uairean –
I'll be leaving at eight o'clock

tha dùil againn falbh aig deireadh na mìos –
we intend to go at the end of the month

You will also hear shorter responses, for example:

san luchar – in July

aig naoi uairean – at nine o'clock

aig deireadh na mìos – at the end of the month

ASKING WHEN SOMEONE INTENDS TO COME BACK AND REPLYING

To ask when someone intends to come back, you say

cuin a tha dùil agaibh ... ?
or
cuin a tha dùil agad ...? – when do you intend ...?

... tilleadh – ... to return

... a bhith air ais – ... to be back

Possible responses might be:

bidh mi air ais ... – I'll be back ...

... Diardaoin – ... on Thursday

... Didòmhnaich or **... Latha na Sàbaid** –
... on Sunday

tha dùil againn a bhith air ais ... –
we intend to be back...

... a-màireach aig dà uair –
... tomorrow at two o'clock

... a dh'aithghearr – ... soon

tillidh sinn ... – we'll return ...

... ann an latha no dhà – ... in a day or two

... Diluain no Dimàirt – ... on Monday or Tuesday

You will also hear shorter replies, such as:

ann an leth-uair a thìde – in half an hour

Disathairne aig trì uairean –
on Saturday at three o'clock

chan eil sian a dh'fhios agam – I've no idea

Tagh freagairt Choose an answer

Study the following situations and from the three possible answers choose the most appropriate one for each situation.

> **1. Tha thu a' dol a dh'obair anns a' mhadainn.**

Tha dùil agam ...

a) **a dhol air saor-làithean** ☐

b) **an taigh fhàgail aig leth-uair an dèidh ochd** ☐

c) **falbh aig dà uair dheug** ☐

> **2. Tha thu a' dol air saor-làithean dhan Eadailt anns an Lùnasdal.**

Tha dùil agam ...

a) **a dhol dhan Eilbheis am-bliadhna** ☐

b) **a bhith air ais anns an luchar** ☐

c) **a bhith seachdain ann am Venice** ☐

> **3. Tha thu a' falbh airson deireadh seachdain.**

Tha dùil agam...

a) **a bhith air ais Diluain** ☐

b) **tilleadh Dihaoine** ☐

c) **a bhith air ais Diciadain** ☐

deireadh seachdain – a weekend

Translation

1. You are going to work in the morning. I intend ... a) to go on holiday b) to leave the house at half past eight c) to go at 12 o'clock

2. You are going on holiday to Italy in August. I intend ... a) to go to Switzerland this year b) to be back in July c) to be a week in Venice

3. You are going away for a weekend. I intend... a) to be back on Monday b) to return on Friday c) to be back on Wednesday

Freagairtean 1. b; **2.** c; **3.** a.

A STEP BY STEP CEUM AIR CHEUM

SAYING YOU INTENDED SOMETHING

bha dùil agam ... – I intended ...

... a bhith an seo aig seachd uairean –
... to be here at seven o'clock

... a dhol dhan bhanca an-diugh, ach bha mi ro thrang –
... to go to the bank today, but I was too busy

SAYING YOU DID NOT INTEND SOMETHING

cha robh dùil agam ... – I didn't intend ...

... fuireach cho anmoch – ... to stay so late

... a bhith air ais cho luath – ... to be back so soon

... a dhol dhan taigh-sheinnse – ... to go to the pub

BEING REMINDED OF YOUR INTENTIONS AND REPLYING

To remind someone of something, you say

nach robh dùil agad ...? – didn't you intend ...?

... a dhol chun an dotair an-dè –
... to go to the doctor yesterday

... spaghetti a dhèanamh a-nochd –
... to make spaghetti tonight

nach robh dùil agaibh ...? – didn't you intend ...?

... fònadh gu Niall an-dè – ... to phone Neil yesterday

... an teine a chur air – ... to light the fire

Possible responses to the above might be:

bha, ach ... – yes, but ...

... cha robh tìde agam – ... I didn't have time

... tha a' chearc seo againn, agus feumaidh sinn a h-ithe –
... we have this chicken, and we must eat it

... cha robh cuimhne agam –
... I didn't remember

... tha e ro bhlàth a-nis – ... it's too warm now

MAKING A SUGGESTION

To suggest something to someone, you say

dè mu dheidhinn ... ? – what about ... ?

... na tè seo – ... this one

... a dhol a-mach – ... going out

Dè bha dùil aca a dhèanamh?
What did they intend to do?

Study the pictures and choose the most appropriate response to the question being asked. Translations are provided at the foot of the page.

chan eil e fosgailte gu ... – it's not open until ...

a. Cha robh, tha latha dheth agam.

b. Bha, ach chan urrainn dhomh cluich. Tha mo chas goirt.

c. Bha, ach chan eil mi a' dol ann a-nis. Tha mi nas fheàrr.

d. Bha, ach chan eil e fosgailte gu leth-uair an dèidh naoi.

1

Nach robh dùil agaibh a dhol chun an dotair an-diugh?

2

Nach robh dùil agad a dhol a chluich golf an-diugh?

3

Bha dùil agad a bhith ag obair an-diugh, nach robh?

4

An robh dùil agad a dhol dhan bhanca an-diugh?

Translation: 1. Didn't you intend to go to the doctor today? **2.** Didn't you intend to play golf today? **3.** You intended to work today, didn't you? **4.** Did you intend to go to the bank today?

a. No, I have a day off. **b.** Yes, but I can't play. My leg is sore. **c.** Yes, but I'm not going now. I'm better. **d.** Yes, but it isn't open until half past nine.

Freagairtean: 1 c; **2** b; **3** a; **4** d.

EXPRESSING EXPECTATIONS

dùil when combined with **ri** is also used in the sense of 'expect':

tha dùil agam ri ... – I expect ...

... deagh naidheachd – ... good news

... bràthair m' athar an-diugh – my uncle today

tha dùil againn ris a' bhus ann am mionaid –
we expect the bus in a minute

tha dùil aice ri leanabh – she is expecting a child

tha dùil aige ri Una an-diugh –
he expects Una today

Cha robh dùil
againn ri seo!

ASKING WHO OR WHAT SOMEONE EXPECTS AND REPLYING

To ask who or what someone expects, you say

cò ris a tha dùil agad? –
who or what do you expect?

tha dùil agam ri ... – I expect ...

... litir bhon cholaisde –
... a letter from the college

... feadhainn às an Spàinn –
... some people from Spain

To ask if a person is expecting someone, or something, you say

a bheil dùil agad ri duine? –
do you expect anyone?

a bheil dùil agaibh ri droch aimsir? –
do you expect bad weather?

(**sìde** is also commonly used for weather.)

a bheil dùil aige ri Màrtainn? –
does he expect Martin?

a bheil dùil aice ri Màiri? –
does she expect Mary?

Possible replies to the above might be:

tha, tha dùil agam ris an dotair –
yes, I expect the doctor

tha, tha dùil ri stoirm a-maireach –
yes, a storm is expected tomorrow

tha, tha dùil aige ris – yes, he expects him

tha dùil aice rithe – she expects her

SAYING YOU DIDN'T EXPECT SOMEONE OR SOMETHING

cha robh dùil agam ... – I didn't expect ...

... riut – ... you

... rithe an-dràsda – ... her just now

... ri seo idir – ... this at all

... ri càil sam bith – ... anything at all

Cuir crìoch air na còmhraidhean
Complete the conversations

Read the following conversations and complete the unfinished sentences with words of your own choice. Conversation A uses **dùil** in the sense of intending and B uses **dùil** in the sense of expecting. Translations are provided at the foot of the page, along with possible endings for the unfinished sentences.

A. Tha Màiri agus Iain, an duine aice, a' bruidhinn mu shaor-làithean.

Iain: Càit a bheil Tòmas agus Anna a' dol air làithean-saora am-bliadhna?

Màiri: Tha dùil aca ....

Iain: Bidh sin math. Còrdaidh an aimsir riutha. Bidh i blàth.

Màiri: Ach, a ghràidh, càit a bheil sinne a' dol am-bliadhna?

Iain: A! Feumaidh sinn bileagan fhaighinn.

bileagan – leaflets, brochures

B. Coinnichidh Ealasaid ri a banacharaid Iseabail air an t-sràid.

Ealasaid: Hallò, dè tha dol?

Iseabail: Chan eil mòran. Bha mi a' ceannach ad agus aodach airson leanaibh.

Ealasaid: O, tha iad snog.

Iseabail: Peigi, an nighean agam, tha dùil ....

Ealasaid: A bheil gu dearbh? Cuin?

Iseabail: A' chiad seachdain anns a' Chèitean.

aodach airson leanaibh – baby clothes

HOPING SOMETHING IS

To say you hope, you say **tha mi an dòchas**.

To say you hope that something is … , you say **tha mi an dòchas** followed by **gu bheil**:

tha mi an dòchas … – I hope …

… gu bheil an t-acras ort – … that you're hungry

… gu bheil iad a-staigh – … that they're in

… gu bheil thu a' coimhead às dèidh Dìleas
– … that you're looking after Dìleas

… gu bheil a' bhùth fosgailte fhathast –
… that the shop is still open

tha sinn an dòchas … – we hope …

… gu bheil thu airson tighinn –
… that you want to come

… gu bheil iad ag obair trang –
… that they're busy working

… gu bheil a h-uile duine gu math –
that everyone is well

To respond to the above, you might say, for example:

O, tha! tha an t-acras mòr orm –
Oh, yes! I'm very hungry

tha mi an dòchas gu bheil – I hope so

tha, tha a h-uile duine gu dòigheil –
Yes, everybody is fine

To tell that someone else hopes that something is … , you say:

tha e an dòchas … – he hopes …

… gu bheil i nas fheàrr – … that she is better

… gu bheil an obair deiseil –
… that the work is finished

tha i an dòchas … – she hopes …

… gu bheil e a' dol a dh'obair –
… that he is going to work

… gu bheil Anna gu math – … that Ann is well

HOPING SOMETHING IS NOT

To say you hope that something is not … , you say **tha mi an dòchas** followed by **nach eil**:

tha mi an dòchas … – I hope …

… nach eil e a-staigh – … that he is not in

… nach eil i a' tighinn – … that she isn't coming

… nach eil sinn ro anmoch –
… that we're not too late

To respond, you might say, for example:

chan eil e a-staigh idir – he's not in at all

chan eil mi a' smaoineachadh gu bheil –
I don't think that he is

tha mi an dòchas nach eil – I hope not

chan eil, chan eil e ach ochd uairean –
no, it's just eight o'clock

chan eil, chan eil e goirt idir a-nis –
no, it's not sore at all now

chan eil, tha e fada nas fheàrr –
no, it's much better

To say someone else hopes that something is not … , you say, for example:

tha e an dòchas … – he hopes …

… nach eil càil ceàrr –
… that there's nothing wrong

… nach eil a bhràthair tinn –
… that his brother isn't ill

… nach eil iad a' dèanamh cus –
… that they aren't doing too much

tha i an dòchas … – she hopes …

… nach eil fhios aige – … that he doesn't know

… nach eil i ro anmoch airson diathad –
… that she isn't too late for lunch

… nach eil iad ag obair fhathast –
that they are still not working

Tha mi an dòchas nach eil sinn ro anmoch!

HOPING SOMETHING WAS

To say you hope that something was … , you say **tha mi an dòchas** followed by **gun robh**:

tha mi an dòchas … – I hope …

… gun robh turas math agad –
… that you had a good journey

… gun robh thu tràth gu leòr –
… that you were early enough

… gun robh thu a' bruidhinn ris –
… that you were speaking to him

… gun robh e feumail – … that it was useful

To respond to the above, you might say, for example:

bha, ach tha mi sgìth a-nis –
yes, but I'm tired now

bha, bha tìde gu leòr agam
bha, bha ùine gu leòr agam } – yes, I had plenty time

bha, bha sinn a' còmhradh –
yes, we were chatting

bha gu dearbh – yes, indeed

HOPING SOMETHING WAS NOT

To say you hope that something was not … , you say **tha mi an dòchas** followed by **nach robh**:

tha mi an dòchas … – I hope …

… nach robh thu sgìth – … that you weren't tired

… nach robh e a' dèanamh dad gòrach –
… that he wasn't doing anything silly

… nach robh sibh fada a' feitheamh –
… that you weren't waiting long

… nach robh dùil agaibh
coimhead air an telebhisean a-nochd –
… that you didn't intend to
watch the television tonight

To respond to the above, you might say, for example:

cha robh, cha robh mi sgìth idir –
no, I wasn't tired at all

cha robh, bha e uabhasach modhail –
no, he was very well behaved

cha robh, cha robh mi ann ach còig mionaidean
– no, I was just there for five minutes

cha robh, tha mi a' dol a-mach –
no, I'm going out

A' reic obair-fhighe Selling knitwear

Read the following description of Deirdre's occupation. Then read the conversation between Deirdre and her colleague, Brenda. Fill in the blanks in the sentences. Translations are provided at the foot of the page.

'S e reiceadair a th' ann an Deirdre. Tha i ag obair aig companaidh a tha a' dèanamh gheansaidhean. Bha i air falbh air turas. Thàinig i air ais Dihaoine aig cairteal an dèidh ceithir.

reiceadair – salesperson

Brenda: Hallò! Tha thu air ais. Tha mi an dòchas gun robh turas math agad.

Deirdre: Bha. Bha mi ann an Inbhir Air. Bha mi a' fuireach ann an taigh-òsda sgoinneil.

Brenda (a' gàireachdainn)**:** Tha mi an dòchas gun robh thu trang a' reic gheansaidhean, ge-ta.

Deirdre: O, bha. Reic mi trì cheud geansaidh. Nach eil sin math?

Brenda: Dè? Trì cheud! Meal do naidheachd. Nach tu a rinn math!

Inbhir Air – Ayr	**reic mi** – I sold
a' gàireachdainn – laughing	**nach tu a rinn math** – didn't you do well
ge-ta – though	

1. Bha Brenda .... gun robh turas .... aig Deirdre.

2. Bha Brenda an dòchas .... Deirdre a' reic gheansaidhean.

3. Reic Deirdre .... geansaidh.

HOPING SOMETHING WILL BE

To say you hope that something will be … , you say **tha mi an dòchas** followed by **gum bi**:

tha mi an dòchas … – I hope …

… gum bi thu modhail – … that you will behave

… gum bi turadh ann a-màireach – … that it will be dry tomorrow

… gum bi tìde gu leòr againn – … that we will have enough time

… gum bi latha math agad – …that you'll have a good day

To respond to the above, you might say, for example:

bidh, tha mi an còmhnaidh modhail – yes, I'm always well behaved

tha mi an dòchas gum bi – I hope so

To say someone else hopes that something will be … , you say:

tha e an dòchas … – he hopes …

… gum bi gèam ann Disathairne – … that there will be a game on Saturday

… gum bi cuimhne aice air – … that she will remember him

tha i an dòchas … – she hopes …

… gum bi i a' dol air saor-làithean dhan Fhraing – … that she'll be going on holiday to France

… gum bi obair gu leòr aca – … that they'll have plenty work

To respond to the above, you might say, for example:

tha mi cinnteach gum bi – I'm sure that there will be

chan eil mi cho cinnteach – I'm not so sure

cuin a tha i a' dol ann? – when is she going there?

bidh, tha mi cinnteach – yes, I'm sure

Dè tha iad an dòchas?
What are they hoping?

Study the pictures and choose the most appropriate expression to go with each picture.

rùm – space

1
a. … gum bi an t-uisge ann ☐
b. … gu bheil rùm gu leòr agam ☐
c. … gum bi turadh ann ☐

2
a. … gun robh sibh toilichte ☐
b. … gum bi latha math agaibh ☐
c. … gu bheil sibh anmoch ☐

3
a. … nach robh sibh sgìth ☐
b. … gun robh sibh a' fònadh ☐
c. … gum bi làithean-saora math agaibh ☐

4
a. … nach eil i a' tighinn ☐
b. … gu bheil cuideigin a-staigh ☐
c. … gum bi iad trang ☐

Freagairtean: 1. c; 2. b; 3. c; 4. b.

HOPING SOMETHING WILL NOT BE

To say you hope that something will not be … , you say **tha mi an dòchas** followed by **nach bi**:

tha mi an dòchas … – I hope …

… nach bi an t-uisge ann a-nochd –
… that it won't rain tonight

… nach bi thu ro fhuar –
… that you won't be too cold

… nach bi am bus fada gun tighinn –
… that the bus won't be long in coming

… nach bi feum againn air iuchar –
… that we won't need a key

To respond to the above, you might say, for example:

tha eagal orm gum bi – I'm afraid it will

cha bhi, tha còta blàth orm –
no, I have a warm coat on

tha mi an dòchas nach bi – I hope it won't be

cha bhi, bidh an doras fosgailte –
no, the door will be open

---

2. Tha Marc air ais bhon cholaisde. Tha athair a' cur fàilte air.

cinnteach	glè	dòchas	còrd

Eòghann: Dè do chor? Tha mi an .... gun
robh deagh thuras agad.

Marc: O, bha. Bha an trèan ....
chofhurtail. (a' toirt tiodhlac beag do athair)

Eòghann: O, dè tha seo? Leabhar! Leabhar air golf.

Marc: Tha mi an dòchas gun .... e ruibh.

Eòghann: Tha mi .... gun còrd.
Tapadh leat gu dearbh.

deagh thuras – a good journey
cofhurtail – comfortable
tiodhlac – a present

HOPING SOMEONE WILL ENJOY SOMETHING

To say you hope that someone will enjoy something, you say **tha mi an dòchas** followed by **gun còrd**:

tha mi an dòchas … – I hope …

… gun còrd an CD ruibh –
… that you'll enjoy the CD

… gun còrd e riut – … that you'll enjoy it

… gun còrd an latha ruibh –
… that you'll enjoy the day

To respond to the above, you might say, for example:

tha mi cinnteach gun còrd – I'm sure I will (enjoy it)

còrdaidh, tha mi cinnteach – yes, I'm sure

Lìon na beàrnan Fill the gaps

Choose the correct words or phrases for the blanks. Translations are provided at the foot of the page.

1. Tha Eanraig agus Fionnghal a' faighinn deiseil airson a dhol a-mach.

an dèidh	tha mi	nach bi

Eanraig: Cuin a tha am film a' tòiseachadh?

Fionnghal: Ochd uairean, ...
a' smaoineachadh.

Eanraig: Tha mi an dòchas .... sinn
fadalach.

Fionnghal: Cha bhi, tha tìde gu leòr againn. Chan eil
e ach cairteal .... seachd.

fadalach – late

---

3. Tha Màili, màthair Mhurchaidh, a' faighinn Mhurchaidh (6) deiseil airson na sgoile.

an dòchas	cha bhi	nas fheàrr	nach bi

Màili: Siuthad a-nis, cuir ort do chòta.

Murchadh: Tha mi an dòchas .... an t-uisge
ann.

Màili: Cha bhi, ach tha e glè fhuar an-diugh. (a' dùnadh
a chòta) Sin thu a ghràidh, tha sin ....

Murchadh: Tha mi .... nach bi am bus fada
gun tighinn.

Màili: ...., cha bhi e fada idir.
Siuthad a ghràidh, feumaidh tu greasad ort.

ASKING FOR SOMEONE'S NEWS

There are several phrases for asking people what news they have. We have already met

dè tha dol? – what's doing?

Other phrases include:

dè do naidheachd? – what's your news?
or
dè ur naidheachd? – what's your news? (polite and plural)

dè do naidheachd an-diugh? –
what's your news today?

a bheil càil as ùr? – is there anything new?

You will also hear:

a bheil sian as ùr?
a bheil dad as ùr? } – is there anything new?

SAYING YOU HAVE LITTLE OR NO NEWS

To say that you have little or no news, you may respond, for example:

chan eil càil – nothing at all

dìreach an àbhaist – just the usual

chan eil ach an àbhaist – just the usual

chan eil càil as ùr – nothing new at all

chan eil mòran – not much

Often a comment about the weather is added:

chan eil dad – nach i a tha fuar? –
nothing at all – isn't it cold?

chan eil sian – tha i fliuch an-diugh –
nothing at all – it's wet today

It is common to return the question:

Catrìona: A bheil càil as ùr?
– Is there anything new?

**Seumas: Chan eil. A bheil càil as ùr
agad fhèin?**
– No. Do you have anything new yourself?

Catrìona: Dìreach an àbhaist
– Just the usual

TELLING GOOD NEWS

If asked what your news is and you have good news, you might respond, for example:

fhuair an duine agam obair –
my husband got a job

cheannaich mi càr ùr – I bought a new car

**bha sinn air falbh airson
an deireadh sheachdain** –
we were away for the weekend

fhuair mi a-steach dhan cholaisde –
I got into college

ghabh iad ris an iarrtas agam –
they accepted my application

deagh naidheachd ... – good news ...

... tha obair ùr agam – ... I have a new job

... fhuair mi cead dràibhidh –
... I got my driving licence

SAYING YOU ARE HAPPY TO HEAR SOMETHING

To say that you are happy to hear something, you say

tha mi toilichte a chluinntinn –
I'm pleased to hear it
or
tha mi toilichte sin a chluinntinn –
I'm pleased to hear that

tha mi uabhasach toilichte sin a chluinntinn
– I'm extremely happy to hear that

Fhuair mi pìob ùr.

Tha mi toilichte sin a chluinntinn.

OTHER RESPONSES TO GOOD NEWS

Other responses to good news might be:

tha sin math
or
's math sin – that's good

nach math sin! – isn't that good!

meal do naidheachd, nach eil sin math! –
congratulations, isn't that good!

TELLING BAD NEWS

If asked what your news is and you have bad news, you might respond, for example:

tha Anna san ospadal – Ann is in hospital

chan eil Stiùbhart gu math – Stewart isn't well

chan eil Iain a' faireachdainn gu math an-diugh –
Iain isn't feeling well today

droch naidheachd ... – bad news ...

... tha mi gun obair an-dràsda –
... I'm unemployed just now

... feumaidh Siùsaidh a dhol dhan ospadal –
... Susan has to go to hospital

SAYING YOU ARE SORRY TO HEAR SOMETHING

To say that you're sorry to hear something, you say

tha mi duilich a chluinntinn – I'm sorry to hear it

or

tha mi duilich sin a chluinntinn –
I'm sorry to hear that

tha mi uabhasach duilich sin a chluinntinn –
I'm extremely sorry to hear that

OTHER RESPONSES TO BAD NEWS

Other responses to bad news might be:

tha mi duilich, chan eil sin cho math –
I'm sorry, that's not so good

's bochd sin – that's a pity

cha chuala mi idir gun robh i san ospadal –
I never heard that she was in hospital

tha mi glè dhuilich, 's e droch naidheachd a tha sin –
I'm very sorry, that is bad news

---

deagh and **droch** belong to a small number of adjectives that come before the noun, for example,
deagh dhùrachd – good wishes
and
droch naidheachd – bad news
Where possible, they lenite the word following.

Dè an naidheachd a th' aca?
What news do they have?

Read or act out the conversations. Then tick the appropriate boxes in the sentences below. Translations are provided at the foot of the page.

1. Choinnich Seonag ri Màiri Anna air an t-sràid.

Seonag:	Dè tha dol, a Mhàiri Anna? A bheil càil as ùr?
Màiri Anna:	Tha, tha naidheachd mhath agam. Fhuair mi litir bhon cholaisde. Tha mi a' faighinn a-steach.
Seonag:	O, glè mhath! Tha mi toilichte sin a chluinntinn. Cuin a tha thu a' tòiseachadh?
Màiri Anna:	Aig deireadh na mìos.

a) cheannaich Seonag càr ùr ☐

b) fhuair Màiri Anna a-steach dhan cholaisde ☐

c) fhuair Màiri Anna obair ùr ☐

2. Tha Eòin agus Cailean eòlach air a chèile. Choinnich iad ann an taigh-seinnse.

Eòin:	Hallò! 'S fhada on uair sin! Dè do naidheachd, a Chailein?
Cailean:	Chan eil mòran. Bha mi air falbh ann an Lunnainn. A bheil càil as ùr agad fhèin?
Eòin:	Chan eil càil – dìreach an àbhaist. O! Cheannaich mi càr ùr.
Cailean:	Dè an seòrsa?
Eòin:	'S e Escort a th' ann.
Cailean:	O, glè mhath. 'S toigh leam an t-Escort. 'S e càr math a th' ann.

a) cha robh naidheachd as ùr aig Eòin ☐

b) fhuair Cailean càr ùr ☐

c) cheannaich Eòin càr ùr ☐

Freagairtean: 1. b; **2.** c.

1. Joan and Mary Ann met on the street. **Joan:** What's doing, Mary Ann? Is there anything new? **Mary Ann:** Yes, I have good news. I got a letter from the college. I've been accepted. **Joan:** Oh, very good! I'm pleased to hear that. When do you start? **Mary Ann:** At the end of the month.

2. Jonathan and Colin know each other well. They met in a pub. **Jonathan:** Hello! It's been a long time! What's your news, Colin? **Colin:** Not much. I was away in London. Do you have any news yourself? **Jonathan:** Not much – just the usual. Oh! I bought a new car. **Colin:** What kind? **Jonathan:** It's an Escort. **Colin:** Oh, very good, I like the Escort. It's a good car.

TELLING THAT SOMEONE HAD AN ACCIDENT

To say that someone had an accident, you say

bha tubaist aig ...

bha tubaist aig Seasaidh – Jessie had an accident

bha tubaist aige – he had an accident

bha tubaist aice – she had an accident

A typical question and responses to it would be:

dè thachair? – what happened?

thuit i agus bhris i a cas – she fell and broke her leg

thuit e ... – he fell ...

... nuair a bha e a' sgitheadh –
... when he was skiing

... nuair a bha e a' streap –
... when he was climbing

chaidh an càr aige bhàrr an rathaid –
his car went off the road

ASKING WHETHER SOMEONE HEARD ABOUT SOMETHING AND RESPONDING

To ask if someone heard about something, you say

an cuala sibh mu dheidhinn ...?

an cuala sibh mu dheidhinn Iain agus Ealasaid?
– did you hear about John and Elizabeth?

Possible responses might be:

chuala, chuala mi gu bheil iad a' falbh le chèile
– yes, I heard that they are going out together

chuala mi gu bheil iad a' dol a phòsadh
– I heard that they are going to marry

cha chuala, dè tha ceàrr? – no, what's wrong?

To ask if someone has heard something, you say
an cuala tu followed by **gu bheil**:

an cuala tu ... ? – have you heard ... ?

... gu bheil dùil aig Brìghde ri leanabh –
... that Bridget is expecting a baby

... gu bheil Eideard anns an ospadal –
... that Edward is in hospital

Possible responses might be:

cha chuala, tha mi toilichte sin a chluinntinn
– no, I'm pleased to hear that

cha chuala, tha mi duilich mu dheidhinn sin –
no, I'm sorry about that

Tubaist rathaid Road accident

Read the following news report of a road accident. Then select the correct words for the blanks in the sentences. A translation of the report is provided.

"... agus tha an naidheachd seo dìreach air tighinn a-steach. Bha tubaist anns a' mhadainn an-diugh air an A82 eadar Drochaid an Aonachain agus Inbhir Garadh nuair a bhuail càr agus bhan na chèile. Chaidh dràibhear na bhan a thoirt dhan ospadal anns a' Ghearasdan. Tha e coltach nach eil e air a ghoirteachadh gu dona idir. Bha dithis anns a' chàr agus tha e coltach gu bheil iadsan ceart gu leòr. Cha deach an fheadhainn a bha san tubaist ainmeachadh fhathast ..."

Drochaid an Aonachain – Spean Bridge

Inbhir Garadh – Invergarry

bhuail ... na chèile – ... struck each other

chaidh ... a thoirt – ... was taken

tha e coltach – it appears

air a ghoirteachadh – injured

cha deach ... ainmeachadh – ... have not been named

chaidh	coltach	bhuail	dithis
tubaist	dhan	air	

1. Bha .... anns a' mhadainn an-diugh .... an A82.

2. .... càr agus bhan na chèile.

3. .... dràibhear na bhan a thoirt .... ospadal.

4. Bha .... anns a' chàr.

5. Tha e .... gu bheil iadsan ceart gu leòr.

Translation: ... and this report has just come in. There was an accident this morning on the A82 between Spean Bridge and Invergarry when a car and a van collided. The driver of the van was taken to hospital in Fort William. It appears that he is not badly injured. There were two people in the car and it appears they are all right. Those in the accident have not yet been named.

Freagairtean: 1. tubaist, air **2.** bhuail **3.** chaidh, dhan **4.** dithis **5.** coltach.

ASKING WHETHER SOMEONE GOT SOMETHING AND RESPONDING

To ask if someone heard that someone got something, you say

an cuala tu gun d'fhuair ... ?

an cuala tu gun d'fhuair Peigi càr ùr?
– have you heard that Peggy got a new car?

Possible responses might be:

chuala, chunnaic mi e – tha e brèagha –
yes, I've seen it – it's beautiful

cha chuala, dè an seòrsa a th' ann? –
no, what kind is it?

A' bruidhinn mu dè thachair
Discussing what happened

You overhear the following conversation about the accident reported on the previous page. What two extra items of information are provided? Answer the two questions to find out. A translation of the conversation is provided.

Dànaidh:	**Hallò, a Mhàiri Sìne. A bheil càil as ùr?**
Màiri Sìne:	**An cuala tu mu dheidhinn na tubaist a bh' aig Brian?**
Dànaidh:	**Cha chuala. Dè thachair dha?**
Màiri Sìne:	**Bhuail càr anns a' bhan aige faisg air Drochaid an Aonachain. Bhris e a chas. Tha e ann an ospadal a' Ghearasdain.**
Dànaidh:	**Tha mi duilich sin a chluinntinn. An robh duine eile air a ghoirteachadh?**
Màiri Sìne:	**Chan eil mi a' smaoineachadh gun robh, ach tha an càr agus a' bhan gun fheum.**

gun fheum – useless, written off

1. Cò a bhris a chas? ....
....

2. Dè tha gun fheum a-nis? ....
....

A' coinneachadh ri caraid
Meeting a friend

You bump into a friend of the family whom you haven't seen for a long time and catch up with the news. Using the information in the margin, fill in the gaps in the conversation. A translation is provided at the foot of the page.

Thusa:	Hallò, ciamar a tha thu? 'S fhada on uair sin. Càit a bheil thu a' fuireach?
Caraid:	.... Dè tha dol agad fhèin?
Thusa:	Tha mi dìreach deiseil anns an sgoil... ....
Caraid:	Tha mi toilichte sin a chluinntinn. Bha mise ag obair anns an ospadal ach ....
Thusa:	O, tha mi duilich sin a chluinntinn.
Caraid:	Chan eil mi ag iarraidh obair an-dràsda. ....
Thusa:	O, meal do naidheachd. Tha mi toilichte sin a chluinntinn.
Caraid:	.... 'S e dotair a th' ann.

Margin notes:
- She tells you she is now staying in Edinburgh
- You tell her you intend to go to college
- She tells you she is unemployed at present
- She tells you she is expecting a baby
- She tells you her husband is working in the hospital

Side tab: **A | STEP BY STEP | CEUM AIR CHEUM**

(upside-down at foot of left column)

Freagairtean: 1. Bhris Brian a chas. **2.** Tha an càr agus a' bhan gun fheum a-nis.

Danny: Hello, Mary Jean. Is there anything new? **Mary Jean:** Did you hear about Brian's accident? **Danny:** No. What happened to him? **Mary Jean:** A car ran into his van near Spean Bridge. He broke his leg. He is in Fort William hospital. **Danny:** I'm sorry to hear that. Was there anyone else injured? **Mary Jean:** I don't think there was, but the car and the van are write-offs.

(upside-down at foot of right column)

Missing phrases:
Tha mi a' fuireach ann an Dùn Èideann a-nis
Tha dùil agam a dhol dhan cholaisde
Tha mi gun obair an-dràsda
Tha dùil agam ri leanabh
Tha an duine agam ag obair anns an ospadal.

You: Hello, how are you? It's a while since I've seen you. Where are you staying? **Friend:** .... What's doing with yourself? **You:** I've just finished in school. .... **Friend:** I'm pleased to hear that. I was working in the hospital but .... **You:** Oh, I'm sorry to hear that. **Friend:** I don't want work just now. .... **You:** Oh, congratulations, I'm pleased to hear that. **Friend:** .... He's a doctor.

Ordain

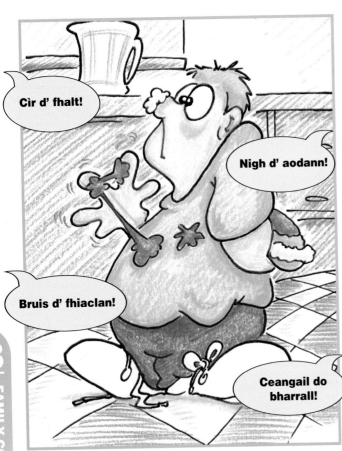

cìr d' fhalt – comb your hair

nigh d' aodann – wash your face

bruis d' fhiaclan – brush your teeth

ceangail do bharrall – tie your shoe-lace

greas ort – hurry up

òl an sùgh agad – drink your juice

ith do bhiadh – eat your food

coimhead – look

thoir an aire – be careful

stad – stop

cuir dheth an telebhisean – switch off the television

Commands
Ordain

Match the following commands to the pictures

a. **Na ith sin an-dràsda!**

c. **Na fàg an sin e!**

e. **Na bi a' caoineadh!**

b. **Na tuit!**

d. **Na tèid faisg air!**

f. **Na bi mì-mhodhail!**

na fàg an sin e – don't leave it there

na bi mì-mhodhail – don't be naughty

na bi a' caoineadh – don't cry

na tèid faisg air – don't go near it

na tuit – don't fall

na ith sin an-dràsda – don't eat that now

Freagairtean 1-b, 2-d, 3-a, 4-c, 5-f, 6-e

Reading a story
A' leughadh sgeulachd

anns an leabharlann – in the library

oisean na cloinne children's corner

Am bu toigh leat an leabhar seo?

A bheil thu ag èisdeachd?

An leugh sibh sgeulachd dhomh?

Bu toigh l'.

Tha.

Siuthad, ma-tha. Tagh leabhar.

---

am bu toigh leat an leabhar seo? – would you like this book?

bu toigh l' – yes, I would (like it)

a bheil thu ag èisdeachd? – are you listening?

an leugh sibh sgeulachd dhomh? – will you read me a story?

siuthad, ma-tha – go on, then

tagh leabhar – choose a book

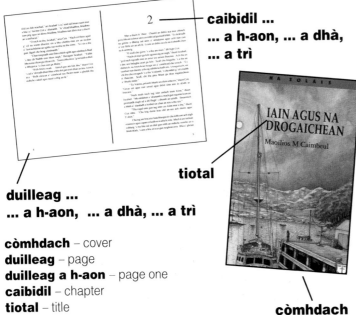

caibidil ...
... a h-aon, ... a dhà,
... a trì

tiotal

duilleag ...
... a h-aon, ... a dhà, ... a trì

còmhdach – cover
duilleag – page
duilleag a h-aon – page one
caibidil – chapter
tiotal – title

còmhdach

WHICH STORIES DO YOU ENJOY?

fìor – true

fada – long

goirid – short

èibhinn – funny

neònach – strange

duilich – sad

> **'s urrainn dhomh …** – I am able to … / I can …

Put ✓ or ✗ in the boxes

's urrainn dhomh falbh le baidhsagal ☐

's urrainn dhomh snàmh ☐

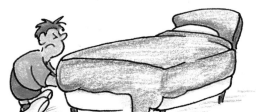

's urrainn dhomh mo leabaidh a chàradh ☐

's urrainn dhomh mo rùm a sgioblachadh ☐

's urrainn dhomh cunntas ☐

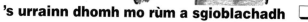

's urrainn dhomh m' ainm a sgrìobhadh ☐

's urrainn dhomh òran a sheinn ☐

's urrainn dhomh am feadan a chluich ☐

's urrainn dhomh Gàidhlig a bhruidhinn ☐

's urrainn dhomh mo bharrall a cheangal ☐

… falbh le baidhsagal – … ride a bike	**… m' ainm a sgrìobhadh** – … write my name
… snàmh – … swim	**… òran a sheinn** – … sing a song
… mo leabaidh a chàradh – … make my bed	**… am feadan a chluich** – … play the chanter
… mo rùm a sgioblachadh – … tidy my room	**… mo bharrall a dhùnadh** – … tie my shoe-lace
… cunntas – … count	**… Gàidhlig a bhruidhinn** – … speak Gaelic

Games
Geamannan

cunntas ann an Gàidhlig! – count in Gaelic!

... aon ... dhà ... trì ... ceithir ... còig ... sia

tilg e ... – throw it ...
cia mheud? – how many?
rinn thu math – you did well

daol(ag) bhreac – ladybird

Feumaidh tu: You need:
Aon dìsinn agus sia cunntairean gach duine
One dice and six counters for each person

Whenever you throw a number you cover up the corresponding dots on the ladybird with a counter. The first person to cover all the dots wins.

CUIR DO LAMHAN AIR DO CHEANN
Try this action song to the tune
Here we go round the Mulberry Bush

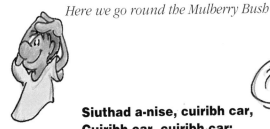

Cuir do làmhan air do cheann,
Air do cheann, air do cheann;
Cuir do làmhan air do cheann,
Mar tha mise dèanamh.

Siuthad a-nise, cuiribh car,
Cuiribh car, cuiribh car;
Siuthad a-nise, cuiribh car,
Mar tha mise dèanamh.

Cuir do làmhan gu do chùlaibh,
Gu do chùlaibh, gu do chùlaibh;
Cuir do làmhan gu do chùlaibh,
Mar tha mise dèanamh.

Suidh a-nise 's dùin do shùilean,
Dùin do shuilean, dùin do shùilean;
Suidh a-nise 's dùin do shùilean,
Mar tha mise dèanamh.

Air do chasan seas an àird,
Seas an àird, seas an àird;
Air do chasan seas an àird,
Mar tha mise dèanamh.

Put your hands on your head,
On your head, on your head;
Put your hands on your head,
As I am doing.

Put your hands behind your back,
Behind your back, behind your back;
Put your hands behind your back,
As I am doing.

Stand up on your feet,
Stand up, stand up;
Stand up on your feet,
As I am doing.

Go on now, turn around,
Turn around, turn around;
Go on now, turn around,
As I am doing.

Sit down now and shut your eyes,
Shut your eyes, shut your eyes;
Sit down now and shut your eyes,
As I am doing.

co-latha-breith – birthday

dè 'n aois a tha thu? – what age are you?

tha mi còig – I am five

a' gabhail bìdh – taking food

a' seinn – singing

a' dannsadh – dancing

a' cluich – playing

cairtean co-latha-breith – birthday cards

preusantan – presents

balùnaichean – balloons

reòiteag – ice cream

slaman-milis – jelly

coinnlean – candles

cèic – cake

bùth nam peataichean – the pet shop

cait

eòin bheaga

pitheidean

gearra-mhucan

luchain

coineanaich

èisg

coin

taigh-chon

piseagan

cuileanan

biadh pheataichean

cuilean – puppy; **cuileanan** – puppies; **cait** – cats; **piseag** – kitten; **piseagan** – kittens; **coineanaich** – rabbits
pitheidean – parrots; **eòin bheaga** – small birds; **gearra-mhucan** – guinea-pigs; **biadh pheataichean** – pet food
èisg – fish; **coin** – dogs; **luchain** – mice

Tha cuilean agam.

Tha gearra-mhucan againn.

Unscramble the following words and label the picture accordingly.

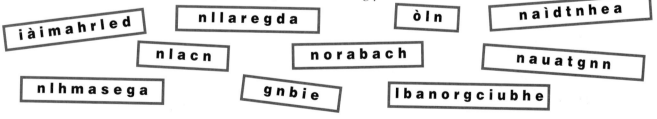

iàimahrled

nllaregda

òln

naìdtnhea

nlacn

norabach

nauatgnn

nlhmasega

gnbie

lbanorgciubhe

craobhan – trees; **dìtheanan** – flowers; **brògan-cuibhle** – roller skates; **clann** – children; **làir-mhaide** – see-saw; **sleamhnag** – slide; **tunnagan** – ducks; **being** – bench; **lòn** – pond; **dreallag** – swing

a bheil thu ag iarraidh ball-coise a chluich? – do you want to play football?
tha cabhag orm – I'm in a hurry
is toigh leam a bhith a' dol àrd – I like to go high

seall air a' chamara – look at the camera

Find the following items in the picture.

spaid   reòiteag   bucaid   camara   itealag

deise-snàmh   slat   prosbaig   ball   creagan

sligean   brat   cnuic   bàta   iasg

reòiteag – ice cream; **spaid** – spade; **bucaid** – bucket; **camara** – camera; **itealag** – kite; **prosbaig** – binoculars
ball – ball; **deise-snàmh** – swimsuit; **slat** – fishing rod; **caisteal-gainmhich** – sand-castle; **feamainn** – seaweed
gainmheach – sand; **leabhar** – book; **sgàilean** – umbrella; **faoileag** – seagull; **sligean** – shells; **brat** – rug, mat
cnuic – hills; **bàta** – boat; **iasg** – fish; **creagan** – rocks

Leanabh an àigh	Child in the manger
An leanabh aig Màiri	Infant of Mary
Rugadh san stàball*	Outcast and stranger
Rìgh nan Dùl ...	Lord of all ...

(* literally, Born in the stable) Tune: Bunessan / Morning has broken   Note: English version is an equivalent only, not a direct translation.

buachaillean – shepherds	**Bodach na Nollaig** – Father Christmas	**cèic Nollaig** – Christmas cake
reul – star	**stocainn** – stocking	**cearc Fhrangach** – turkey
draoidhean – wise men	**cairtean** – cards	**solais** – lights
breith Iosa – the birth of Jesus	**craobh** – tree	**tha seo a' coimhead math** –
An Dùbhlachd – December	**tiodhlacan** – gifts	this looks good

It's nearly lunch time at Mrs MacLeod's office and she breaks off her work to get ready for a lunch date with her husband. While she is away, her colleagues start chatting.

Sharon: A bheil thu eòlach air Mgr MacLeòid, Julie?

Julie: Mgr MacLeòid? Iain? O, tha.
Tha mi eòlach air Iain ceart gu leòr.

Sharon: Cò ris a tha e coltach? A bheil e bòidheach?
A bheil e grànda?

Julie: Isd, Sharon. Chan eil e grànda!
Tha Iain bòidheach!

Julie goes to the Ladies' Room where Mrs MacLeod is tidying herself up and complaining about her figure.

Mrs MacLeod: O, mo chreach! Tha mi reamhar!

Julie: Och isd, chan eil! Tha thu caol!

A bheil thu eòlach air Mgr MacLeòid, Julie?

Iain? O, tha. Tha mi eòlach air Iain ceart gu leòr.

Cò ris a tha Iain coltach?

Tha e coltach ri Mel Gibson!

On the way back to their desks, Julie and Mrs MacLeod decide to tease Sharon.

Julie: Cò ris a tha Iain coltach?

Mrs MacLeod: Tha e coltach ri Mel Gibson!

Sharon : A bheil e àrd?
A bheil falt dubh air?

Julie: Tha e àrd, agus caol, agus àlainn.
Tha falt dubh air agus tha sùilean donn aige.

At this point, Mr MacLeod can be seen outside waiting for his wife.

Sharon (*outraged*): Mel Gibson!! Tha Mgr MacLeòid reamhar- agus tha FEUSAG air!

Julie: O, tha! Ach tha sùilean donn aige!

Meanwhile Mr and Mrs MacLeod drive off for lunch.

Mr MacLeod: Dè do bheachd air Sharon?

Mrs MacLeod: O! Tha i snog, ach chan eil mi eòlach oirre fhathast. Dè do bheachd air Mel Gibson? Is toigh le Julie agus Sharon e. Tha e snog, nach eil?

Mr MacLeod: Chan eil fhios agam. Chan eil mi eòlach air idir.

Mrs Macleod: O! Tha e snog. Tha e uabhasach snog.
Ach chan eil feusag air.

Dè do bheachd air Sharon?

The Macleods go for a slap-up meal at the Hilton Hotel and she is late back for work. Julie and Sharon have been wondering where she is.

Julie: A Mhàiri Anna, càit an robh sibh?

Mrs MacLeod: Anns a' Hilton!

Sharon (*impressed*): Bha Màiri Anna agus Mel Gibson anns a' Hilton!

O! Tha i snog, ach chan eil mi eòlach oirre fhathast.

Later the same day a bouquet of flowers arrives for Mrs MacLeod at the office. Sharon looks at the accompanying card and turns to Julie, puzzled.

Sharon:	Dè an t-ainm a th' air an duine aig Màiri Anna?
Julie:	Iain. Ciamar?
Sharon:	Seall - "M G MacLeòid"!

Sharon is keen to know who the mystery man is.

Sharon:	Uill? Cò tha siud, a Mhàiri Anna? Eh?
Mrs MacLeod:	O! Chan eil e glic!
Julie:	O! Sharon, na bi gòrach! - Mel!!
Mrs MacLeod:	Mel Gibson MacLeòid!

> O! Chan eil e glic!

A few days later there is a Bank Holiday, and Mrs Macleod is spending the day painting. The phone goes and Mrs MacLeod calls Eilidh to answer it …

Mrs MacLeod:	Eilidh! Tha mi trang! Tha mi a' peantadh!

Eilidh grudgingly answers - it is her granny.

Eilidh:	Hallò? … Granaidh! Dè tha dol? … Mise? O, chan eil mi trang. Tha mi dìreach a' coimhead air an telebhisean … Chan eil Eòghann aig an taigh an-dràsda – tha e a' snàmh. Agus tha Dadaidh a' càradh a' chàir. Tha – tha i shuas an staidhre a' peantadh … A Mhamaidh - trobhadaibh!

> Eilidh! Tha mi trang! Tha mi a' peantadh!

Mrs MacLeod reluctantly comes to the phone.

Mrs MacLeod:	Hallò? O! Hallò, a Ghranaidh … Dè tha dol? … O tha – tha mi gu math trang … a' peantadh … shuas an staidhre. Agus ciamar a tha sibh fèin an-diugh? … Chan eil, a ghràidh – tha Iain a' càradh a' chàir an-dràsda … Ceart, ma-tha. Mar sin leibh an-dràsda.

> Granaidh bhochd! Tha Mamaidh trang agus tha Dadaidh sgìth!

Eilidh *(looking worried)*:	A Mhamaidh? A bheil Granaidh ceart gu leòr?
Mrs MacLeod:	Tha. Ciamar?
Eilidh *(still concerned)*:	Chan eil fhios agam.

Eilidh is washing the dishes when Mr MacLeod comes inside and slumps on the sofa with his radio. She brings him the phone. Meanwhile her mother is showing off a new outfit.

Eilidh:	Siuthadaibh! 031 337 5027. Granaidh …
Mr MacLeod:	Oooo Eilidh! Tha mi sgìth an-dràsda!…
Eilidh:	Granaidh bhochd! Tha Mamaidh trang agus tha Dadaidh sgìth!

Mrs MacLeod:	Dè tha thu a' dèanamh, Eilidh?
Eilidh:	Tha mi a' nighe nan soithichean.
Mrs MacLeod *(impressed)*:	Eilidh, a ghràidh! Mòran taing! … Ia-ain! Tha sinn a' dol a-mach a-nochd!
Mr MacLeod:	O, mo chreach! Cha robh cuimhne agam!

Mr MacLeod rushes off to change and Eilidh returns the phone to its place, still worrying about Granny.

Back at the office the next morning, Sharon is desperate to show off her new engagement ring but Mrs MacLeod has other things on her mind.

Sharon:	An robh latha math agaibh an-dè?
Mrs MacLeod:	An-dè?
Sharon:	Diluain! Bha latha dheth againn! Càit an robh sibh?
Mrs MacLeod:	Bha mi aig an taigh, a' peantadh! Ach chaidh mi fhìn agus Iain a-mach a-raoir. An robh latha math agad fhèin?
Sharon:	O, bha! Bha gu dearbh! *(still trying to show her ring)* Chaidh sinn a-null a Dhùn Eideann - mi fhìn agus Gary...
Mrs MacLeod : *(horror-struck)*	O mo chreach … ! Dùn Eideann…! Granaidh …! Cha robh cuimhne agam … !

Dùn Eideann…! Granaidh…! Cha robh cuimhne agam…!

Mrs MacLeod is urgently dialling Granny's number when Julie enters and spots Sharon's ring. Granny is once more forgotten amidst the excitement.

Mrs MacLeod: Sharon, a ghràidh!- tha mi duilich - seall seo - tha i àlainn!

Cha robh mi a' dèanamh càil an-dè. Dè bha thu fhèin a' dèanamh? A' campadh? Aig an traigh…?

That afternoon, Eilidh comes home from school and gets straight on the phone to her friend Nataili.

Eilidh: Dè tha dol? … O chan eil. Tha mi sgìth … cha robh mi a' dèanamh càil an-dè. Cha robh. … cha robh. Dè bha thu fhèin a' dèanamh? A' campadh? Aig an tràigh? …

Suddenly Eilidh hears sounds from the sitting room. She is petrified.

Eilidh: Nataili, dè bha siud … anns an rùm-suidhe … O!! Siud e a-rithist!!

Thàinig mi an-diugh anns a' mhadainn. Aig deich uairean.

Eilidh goes to investigate – to discover Granny sitting by the fire, reading a paper.

Eilidh:	A Ghranaidh! Cuin a thàinig sibh?
Granny:	Thàinig mi an-diugh. Anns a' mhadainn. Aig deich uairean. Bha iuchair aig Mrs Coates. Càit a bheil Mamaidh?
Eilidh:	Tha i ag obair.
Granny:	U-huh. Cha robh i ag obair an-dè … ?
Eilidh : *(protectively)*	Cha robh, ach bha i trang fad an latha. A bheil sibh ag iarraidh cupa tì, a Ghranaidh?

Some time later Mrs MacLeod comes home. Seeing Granny's bag in the hall, she sinks to the floor in despair.

Ciamar a tha sibh fèin? Ciamar a tha sibh a' faireachdainn?

Mr and Mrs MacLeod give up their bedroom for Granny. Next morning, she is sitting up in bed when the family come to say good morning.

Granny:	Madainn mhath, Iain, a ghràidh. Dè do chor an-diugh?
Mr MacLeod:	Cor math, a mhàthair. Ciamar a tha sibh fèin? Ciamar a tha sibh a' faireachdainn?
Granny : *(pathetically)*	O chan eil dona, Iain. Tha mi sgìth … ach tha mi a' dol dhachaigh an-diugh …

O chan eil dona, Iain. Tha mi sgìth … ach tha mi a' dol dhachaigh an-diugh.

Mrs MacLeod is there too, with tea and toast. However, she is wise to the fact that Granny likes complaining. She knows Granny will not leave that day!

This page is linked to • TV Programme 22/23 • Audio Cassette 1

Later that morning, the family are getting ready to leave for school and work. Granny is wrapped up in the living room, virtuously reading The People's Friend.

Mrs MacLeod: Chì mi a-nochd sibh, ma-tha, a Ghranaidh!

Granny: Chì. Mar sin leat, a Mhàiri Anna.

Ewen is the next to come in....

Granny: Hallò, Eòghainn, a ghràidh.
A bheil thu gu dòigheil an-diugh?

Ewen: Tha, a Ghrànaidh. Dè ur cor fhèin?

Granny: Chan eil adhbhar a bhith a' gearan.

Ewen offers Granny the TV remote control, but she refuses, professing that she would rather read.

Mr MacLeod is next. He has damaged his back after sleeping uncomfortably on the sofa.

Mr MacLeod: A bheil sibh ceart gu leòr, ma-tha, a mhàthair?

Granny: Tha mi gu dòigheil. Greas ort a-nis – fhalbh!

Mr MacLeod: Tìoraidh, ma-tha, a mhàthair.

No sooner has he left than Granny abandons her magazine and switches on the television with the newly discovered remote control.

At work, Mrs MacLeod does not join in the girls' chatter – she is too worried about things at home.

Sharon: Càit an robh thu fhèin a-raoir, ma-tha, a Mhàiri Anna?

Mrs MacLeod: Bha mi a' bèiceireachd. Rinn mi cèic.
(unhappily) Thàinig màthair Iain à Dùn-Eideann …

Julie: O, mo chreach! Cuin a tha i a' dol
(sympathetically) dhachaigh a Dhùn Eideann?

Mrs MacLeod: Chan eil fhios agam⊦

Later that day, Mr and Mrs MacLeod stagger in with loads of extra shopping bought to suit Granny's very traditional tastes. A tray of salt herring, bread and butter is prepared for her.

Mrs MacLeod: Uill, a Ghranaidh, ciamar a tha sibh a-nochd?

Granny: O – chan eil dona.

Mr MacLeod: Agus dè rinn sibh an-diugh?

Granny: Bha mi dìreach a' leughadh – agus bhruidhinn mi ri Mrs Coates air a' fòn.

But Eilidh and Ewen give her away.

Eilidh: Agus bha sibh a' coimhead air "Home and Away"…!

Ewen: … Agus a' cluich gèam air a' choimpiutair …!
Bha i math air a' choimpiutair, nach robh, Eilidh?

Eilidh: Bha. Agus an uair sin ghabh sinn biadh.

Mr MacLeod: Biadh?! Dè am biadh?

Granny (cockily): "Pitsa!"

Eilidh: "Pizza", a Ghranaidh!

Mrs MacLeod: Cha toigh leibh pizza, a Ghranaidh, an toigh'l?

Granny: O! Is toigh'l! Bha am "pitsa" uabhasach math!
Tha mi ag iarraidh "pitsa" Napolitana a-màireach!

This page is linked to • **TV Programme 23/24** • **Audio Cassette 1**

C
AT HOME
AIG AN TAIGH

At home
Aig an taigh

Mrs MacLeod is on her way home from work and stops to chat to Mrs Coates, who is in her front garden with her baby.

Mrs Coates: Hai, a Mhàiri Anna, dè do chor a-nochd?

Mrs MacLeod: O, chan eil adhbhar a bhith a' gearan!

Mrs MacLeod is persuaded to go in for a quick cup of coffee and the two women settle down for a chat about their families.

Mrs MacLeod: Cuin a phòs sibh?

Mrs Coates: Phòs sinn nuair a bha mi fichead – ach bha Bill dà fhichead.

Mrs MacLeod: Bha thu fhèin fichead agus bha Bill dà fhichead nuair a phòs sibh?

Mrs Coates: Bha. Bha mi glè òg.

Mrs MacLeod: Agus càit an do choinnich thu ris?

Mrs Coates: Choinnich mi ris anns a' bhanca. Bha mi anns a' cholaisde agus aon latha chaidh mi a-steach dhan bhanca...

Mrs MacLeod: Agus choinnich thu ri Bill! Bha Bill ag obair anns a' bhanca?

Mrs Coates: Bha. Agus phòs sinn nuair a dh'fhàg mi a' cholaisde.

The conversation moves to Lewis, Mrs Coates's little boy.

Hai, a Mhàiri Anna, dè do chor a-nochd?

O, chan eil adhbhar a bhith a' gearan!

Phòs sinn nuair a dh'fhàg mi a' cholaisde.

Agus cuin a bhios Lewis beag ag èirigh anns a' mhadainn?

Mrs MacLeod: Agus cuin a bhios Lewis beag ag èirigh anns a' mhadainn?

Mrs Coates *(ruefully)*: Aig leth-uair an dèidh còig. Cuin a bhios tu fhèin ag èirigh, a Mhàiri Anna?

Mrs MacLeod: O - uill - bidh Iain a' dèanamh cupa tì aig seachd uairean agus bidh mi fhìn ag èirigh aig leth-uair an dèidh seachd…

Mrs Coates: O! A Mhàiri Anna! Leth-uair an dèidh seachd! Cuin a bhios tu a' dol a dh'obair?

Mrs MacLeod: Bidh mi a' fàgail an taighe aig cairteal gu naoi. Bidh a' chlann a' falbh dhan sgoil aig leth-uair an dèidh ochd…
(looks at her watch) A Thì! Seall an uair! Feumaidh mi falbh.

Mrs Coates goes to the front door to see her friend out. As they chat on the doorstep, Mr MacLeod arrives home from work. Mrs Macleod then has an idea … she will offer to let Eilidh and Granny babysit and the Coateses can have an evening out.

Mrs MacLeod: Dè bhios sibh a' dèanamh oidhche Haoine?

Mrs Coates: Bidh sinn aig an taigh. Bidh Bill a' faighinn coiridh. Uaireannan bidh sinn a' faighinn bhideo. Carson?

Mrs MacLeod: A bheil thu ag iarraidh a dhol a-mach dhan taigh-òsda oidhche Haoine? Thu fhèin agus Bill? Bidh Granaidh agus Eilidh aig an taigh!

Mrs Coates: Tapadh leibh!

Dè bhios sibh a' dèanamh oidhche Haoine?

Dè bhios tu a' dèanamh oidhche Haoine? A bheil thu ag iarraidh a dhol dhan taigh-dhealbh?

At home, Eilidh is on the phone again to one of her friends.

Eilidh: An Tunnel? Am bi thu fhèin a' dol dhan Tunnel a h-uile Disathairne? Mise? Cha bhi … Uill, bidh uaireannan … Och, uill…. oidhche Haoine, ma-tha? Dè bhios tu a' dèanamh oidhche Haoine, Jade? A bheil thu ag iarraidh a dhol dhan taigh-dhealbh? (*hears her parents coming in*) Feumaidh mi falbh an-dràsda. Ceart, ma-tha. Oidhche Haoine.

At dinner that night, Mrs MacLeod is trying to get her family to behave well for Granny's benefit, but Ewen is late and nobody is as polite as she would like!

Greas ort!

Tha mi ag iarraidh buntàta!

Mrs MacLeod: Eò-ghainn!! Greas ort!
Eilidh: A Mhamaidh! Tha mi ag iarraidh buntàta!

Eilidh decides to ask about Friday night.

Eilidh: Am faod mi dhol dhan taigh-dhealbh oidhche Haoine?
Mr Macleod: Dè am film?
Eilidh: *A Few Good Men.* Tha e math. Tha Tom Cruise ann.
Mr MacLeod: O uill, a ghràidh. Faodaidh tu a dhol ann, ma-tha.
Mrs MacLeod: Am faod mi fhìn a dhol ann cuideachd?
Eilidh (*annoyed*): A Mhamaidh! Chan fhaod!

But Mrs MacLeod suddenly remembers that she has promised that Eilidh and Granny will babysit …

Mrs MacLeod: O! Eilidh! O, tha mi duilich, a ghràidh. Chan fhaod thu a dhol dhan taigh-dhealbh oidhche Haoine!

O! Chan fhaod!

Eilidh is furious and storms off. Later on her father goes up to try to pacify her.

Mr MacLeod: Am faod mi tighinn a-steach?
Eilidh (*coldly*): Faodaidh.
Mr MacLeod: Am faod mi suidhe sìos?
Eilidh: Faodaidh.
Mr MacLeod: An toigh leat Jade?
Eilidh: Is toigh l'.
Mr MacLeod: Càit a bheil i a' fuireach?
Eilidh: Chan eil fhios agam.

Mr Macleod suggests that Jade can come to the house to babysit too, but Eilidh knows her parents will not approve of Jade, and does not want them to meet!

Mr MacLeod: Faodaidh Jade tighinn an seo cuideachd.
Eilidh: O! Chan fhaod!

Eilidh then has an idea …

Eilidh: Am faod mi a dhol dhan Tunnel Disathairne?
Mr MacLeod: Dhan Tunnel? Dè th' anns an Tunnel, a ghràidh? Disco beag, an e?

It is actually a night club.

Am faod mi seo a chleachdadh?

Eilidh: 'S e! Disco beag.
Mr MacLeod: Agus a bheil Nataili a' dol dhan Tunnel?
Eilidh (*lying*): Tha.
Mr MacLeod: O uill, ma-tha. Faodaidh, a ghràidh. Faodaidh sibh a dhol dhan Tunnel Disathairne, thu fhèin agus Nataili. Nise, am faod mi seo a chleachdadh?

He starts to fool around with Eilidh's make-up.

AT HOME
AIG AN TAIGH

At home
Aig an taigh

Mr MacLeod is having a bad day at work, and to make matters worse, he is feeling ill. He phones his wife. He gets through to Sharon.

Coinnichidh mi riut aig a' Phancake Hut ann an …

Mr MacLeod: Am faod mi bruidhinn ri Màiri Anna? Tapadh leat, Sharon … *(he is swallowing pills as he speaks)* … O, hai, a Mhàiri Anna … O, chan eil dona. Eisd – a bheil thu trang an-dràsda? … Uill, tha mi airson bruidhinn riut … Seadh … an-dràsda … Och, tha, tha mi ceart gu leòr. Tha mi dìreach airson bruidhinn riut. OK, ma-tha, coinnichidh mi riut aig a' Phancake Hut ann an …

Suddenly he drops the phone, clutches his chest and slumps forward onto his desk …

Later, at the hospital casualty department Mrs MacLeod is trying to find out what has happened to her husband.

Am faod mi bruidhinn ris an dotair?

Fuirichibh mionaid, mas e ur toil e.

Mrs MacLeod: Càit a bheil Iain MacLeòid? Càit a bheil an duine agam? Am faod mi bruidhinn ris an dotair?

Receptionist: Fuirichibh mionaid, mas e ur toil e. Cha bhi mi fada … Nise, dè an t-ainm a th' oirbh?

Mrs MacLeod: Màiri Anna NicLeòid. Tha an duine agam an seo. Iain MacLeòid. Am faod mi Iain fhaicinn?

Receptionist: Chan fhaod an-dràsda … Nise – dè an seòladh a th' agaibh?

Mrs MacLeod: Am faod mi bruidhinn ris an dotair? Càit a bheil an dotair? Cait a bheil Iain?

Am faod mi Iain fhaicinn?

Chan fhaod an-dràsda …

A nurse takes her aside.

Nurse: Trobhadaibh agus suidhibh sìos.

Mrs MacLeod: Am faod mi Iain fhaicinn? Iain MacLeòid? A bheil e ceart gu leòr?

Nurse: Chan fhaod an-dràsda … Tha e ceart gu leòr.

Mrs MacLeod: A *bheil* e ceart gu leòr? Am faca sibh e? Am faod mi bruidhinn ris? Am faod mi bruidhinn ris an dotair?

Nurse: Tha an dotair trang an-dràsda. Cha bhi e fada.

Mrs MacLeod: Cuin a bhios e saor? Feumaidh mi bruidhinn ris!

Nurse: Cha bhi e fada. Còig mionaidean, deich mionaidean. Nise, a bheil sibh ag iarraidh cupa tì?

Eventually Mrs MacLeod is allowed to see her husband. He is a very bad patient. Mr Coates has also arrived to visit.

Mrs MacLeod: A bheil an t-acras ort, a ghràidh?

Mr MacLeod: Tha. Tha an t-acras orm. Agus tha am pathadh orm cuideachd. Am faod mi briosgaid bheag fhaighinn? No cupa tì beag?

Mrs MacLeod: Chan fhaod, Iain. Tha fhios agad.

When the time comes to go home, Mr Coates offers Mrs MacLeod a lift. The patient is a little more cheerful.

Mr Coates: Lioft, a Mhàiri Anna?

Mrs MacLeod: O, tapadh leat, a Bhill. Chan eil an càr agam a-nochd. Tìoraidh, ma-tha, Iain, a ghràidh. A bheil thu ag iarraidh càil?

Mr MacLeod: Tha mi ag iarraidh staoig agus buntàta agus currain agus peasraichean agus sherry trifle agus cupa cofaidh agus …

Mrs MacLeod: Och, isd! Oidhche mhath, a ghràidh!

Tha an t-acras orm. Agus tha am pathadh orm cuideachd.

As they leave the hospital, Mr Coates suggests going for a coffee or a drink and they end up going to a restaurant for a meal.

Mr Coates: Am faigh sinn bòrd airson dithis, mas e do thoil e?

At this point, they spot Julie, who is at another table with her brother, and introductions are made all round.

Julie: Siuthadaibh. Suidhibh sìos.

Mrs MacLeod: O, am faod sinn? Tapadh leibh. Tuilleadh fìon! Gheibh mise tuilleadh fìon!

Mr Coates: Chan fhaigh, a Mhàiri Anna. Tha sinn ag iarraidh champagne!

> **Gheibh mise tuilleadh fìon!**

> **Feumaidh mi a dhol air ais a dh'obair, Iain.**

> **Cuin a dh'fheumas tu falbh?**

A few days later, Mr MacLeod gets out of hospital and is brought home by his wife. She settles him in and then prepares to get back to work.

Mrs MacLeod: Feumaidh mi a dhol air ais a dh'obair, Iain.

Mr MacLeod: Am feum?

Mrs MacLeod: Feumaidh.

Mr MacLeod: Cuin a dh'fheumas tu falbh?

Mrs MacLeod: Ann an leth-uair a thìde. Ach bidh do mhàthair an seo. A bheil thu ag iarraidh cupa tì?

Mr MacLeod: Chan eil an-dràsda. Càit a bheil Granaidh co-dhiù?

Mrs MacLeod goes to look for Granny and finds her in the bedroom – packing.

Mrs MacLeod: Dè tha sibh a' dèanamh, a Ghranaidh?

Granny: Feumaidh mi a dhol dhachaigh a-nis, a Mhàiri Anna. Air ais a Dhùn Eideann.

Mrs MacLeod: O, a Ghranaidh! Am feum? Ach carson?

Granny: Chan eil Iain gu math. Feumaidh e dhol dhan leabaidh aige fhèin. Feumaidh mi falbh.

Mrs MacLeod: Am feum? *(In exasperation)* O, uill, cuin a tha sibh a' falbh?

Granny: A-nochd. Air an trèan. Sia uairean? Seachd uairean?

Mrs MacLeod: O, uill, feumaidh sibh rudeigin ithe mus fhalbh sibh. Agus gabhaidh sibh cupa tì an-dràsda.

Granny: Cha ghabh!

> **Feumaidh mi a dhol dhachaigh a-nis.**

> **Am feum? Ach carson?**

Granny spends the remainder of her time in Glasgow helping Eilidh to hang out the washing. Eilidh is sad to see Granny go.

> **Feumaidh sibh greasad oirbh!**

Eilidh: Am feum sibh falbh, a Ghranaidh?

Granaidh: O, feumaidh. Tha Dadaidh tinn agus tha Mamaidh trang.

Eilidh: Och, a Ghranaidh. Cuin a dh'fheumas sibh falbh?

Granaidh: Tha an trèan a' falbh aig seachd uairean. Tha an tacsaidh a' tighinn ann an còig mionaidean.

Eilidh: Feumaidh sibh greasad oirbh!

Granny: O, tha a h-uile càil deiseil.

Eilidh: O, a Ghranaidh! A bheil sibh ag iarraidh rudeigin ri òl mus fhalbh sibh? Tì? Glainne uisge?

Granny: Tha mi ceart gu leòr, Eilidh, a ghràidh.

Granny's taxi duly arrives and she returns home to Edinburgh.

At home
Aig an taigh

Eilidh is looking for a paper-round job but cannot find the newsagent's concerned. She asks a policeman.

Eilidh: Gabhaibh mo leisgeul – a bheil fhios agaibh càit a bheil Bùth Barrett?

Policeman: Chan eil. Tha mi duilich.

Eilidh: Rathad Ghleanndail? A bheil fhios agaibh càit a bheil sin?

Policeman: O, tha. Tha Rathad Ghleanndail ann an Crosspark.

Eilidh: Agus càit a bheil sin?

Policeman: Faisg air Asda. A bheil fhios agad càit a bheil Asda?

Eilidh: Chan eil. Chan eil mi a' fuireach an seo.

Policeman: Feumaidh tu a dhol dìreach sìos Dalmeny Avenue agus tha e air do làimh dheis.

Eilidh: Tapadh leibh. A bheil e fada air falbh?

Policeman: Fada gu leòr. Mu mhìle.

Eilidh: Tapadh leibh.

A bheil fhios agaibh càit a bheil Bùth Barrett?

Eilidh finds the shop and gets the job. However, on her first day she is having difficulty finding her way around and has to ask one of her customers for directions.

Eilidh: Ciamar a gheibh mi gu Murthlie Avenue?

Customer: Murthlie Avenue, an e? Uill, thèid thu dìreach suas an rathad seo. Chì thu eaglais air do làimh chlì. Cum ort seachad air na solais, tionndaidh ris an làimh chlì, cum ort suas an rathad agus thig thu gu Murthlie Avenue air do làimh dheis.

Chì thu eaglais air do làimh chlì, cum ort seachad air na solais ...

Eilidh finds these directions a bit hard to follow and eventually she stops another passer-by.

Eilidh: Gabhaibh mo leisgeul. Dè an uair a tha e?

Passer-by: Cairteal gu naoi.

Eilidh: O, murt mhòr!

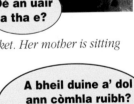

Dè an uair a tha e?

She takes the remaining papers and stuffs them into a wastepaper bin!

However, the job begins to improve and a few mornings later, she arrives home with her first pay packet. Her mother is sitting at the kitchen table studying the London A-Z. Eilidh displays her money and explains her plans.

Eilidh: Tha mi a' dol a chur a h-uile sgillinn dhan bhanca an-dràsda. Tha an sgoil a' dol air saor-làithean dhan Spàinn as t-samhradh. Tha mi airson a dhol ann. Am faod mi a dhol ann, a Mhamaidh?

Mrs MacLeod: A-null dhan Spàinn? Bidh e gu math daor.

Eilidh: Ach tha Nataili a' dol ann ...

Mrs MacLeod: O, uill, ma tha Nataili a' dol ann ... !

A bheil duine a' dol ann còmhla ruibh? Am faod mi a dhol ann còmhla ruibh?

Eilidh then notices the A-Z

Eilidh: Carson a tha sibh a' leughadh seo, a Mhamaidh?

Mrs MacLeod: Tha Mamaidh a' dol sìos a Lunnainn.

Eilidh: O! Lunnainn! Cuin a tha sibh a' dol ann?

Mrs MacLeod: Diluain, a ghràidh.

Eilidh: A bheil duine a' dol ann comhla ruibh? Am faod mi a dhol ann comhla ruibh?

Mrs MacLeod: O chan fhaod, a ghràidh. Tha mi a' dol a dh'obair. Cha bhi mi air saor-làithean.

O chan fhaod, a ghràidh. Cha bhi mi air saor-làithean.

At home
Aig an taigh

Julie and Sharon go to the travel agent's to pick up Mrs MacLeod's tickets and decide to have a look at the holidays on offer at the same time.

Julie: Seall sin, Sharon. Majorca airson seachdain ... tha sin saor, nach eil?

Sharon: Cha bu toigh leam a dhol gu Majorca. Bu toigh leam a dhol dhan Spàinn.

Julie: Sharon! Tha Majorca anns an Spàinn! ... Tiugainn ... Feumaidh sinn ticead fhaighinn do Mhàiri Anna.

Seall sin! Majorca airson seachdain.

However, it is Sharon who goes over to the ticket desk while Julie lingers looking at the holidays.

Travel Agent: Madainn mhath. Dè tha sibh ag iarraidh?

Sharon: Tha mi ag iarraidh ticead bho Ghlaschu gu Lunnainn agus air ais, mas e ur toil e.

Travel Agent: Glaschu gu Lunnainn. Glè mhath. Nise, cuin a bhios sibh a' falbh?

Sharon: Madainn Diluain aig seachd uairean.

Travel Agent: Agus cuin a bhios sibh a' tighinn air ais?

Sharon: Feasgar Dihaoine aig ochd uairean.

Meanwhile, Julie has found a holiday that interests her.

Julie: Sharon, tha saor-làithean math ann. Chan eil iad daor ... A bheil thu airson a dhol air saor-làithean?

Sharon: Dìreach mi fhìn agus tu fhèin?

Julie: Uill, chan fhaod sinn a dhol ann nuair a bhios tu pòsda ...

Sharon: Am faod sinn a dhol dhan Spàinn?

Julie: Faodaidh!

Tha mi ag iarraidh ticead bho Ghlaschu gu Lunnainn agus air ais.

So everything is fixed up...the holiday is booked and Mrs MacLeod's tickets are bought.

'S urrainn dhomh càr a dhràibheadh ach chan urrainn dhomh càil eile a dhèanamh.

The following week, when Mrs MacLeod is away on her business trip, her husband meets Mrs Coates, who is having difficulty with her car. She is trying to check her oil but is unsure where to put the dipstick.

Mrs Coates: O, Iain, seall! Chan urrainn dhomh seo obrachadh idir. Càit a bheil e a' dol?

Mr MacLeod: Carol bhochd! Nach bi Bill a' cuideachadh leis a' chàr?

Mrs Coates: O, bidh ... Ach tha e air falbh an-dràsda.

Mr MacLeod: O, a bheil? Tha Màiri Anna air falbh an-dràsda cuideachd.

He takes the dipstick, wipes it and puts it back.

Mrs Coates: Feumaidh mise ionnsachadh ciamar a tha an càr ag obrachadh . 'S urrainn dhomh càr a dhràibheadh ach chan urrainn dhomh càil eile a dhèanamh.

She is grateful for Mr MacLeod's help and offers to get some shopping for him, as she is on her way to the supermarket.

Mrs Coates: Tapadh leat, Iain. An urrainn dhomh càil fhaighinn dhut ann an Safeway? A bheil thu ag iarraidh càil an-dràsda?

Mr MacLeod: O chan eil, tapadh leat. Ach – a Charol – a bheil thu ag iarraidh tighinn a-nall airson do dhìnneir?

Mrs Coates: A Thì, Iain. A bheil thu math air còcaireachd cuideachd?

Mr MacLeod: O, chan eil. Ach 's urrainn dhomh spaghetti a dhèanamh.

Mrs Coates: An urrainn, gu dearbh? Uill, tapadh leat, ma-tha, Iain. An urrainn dhomh botal fìon fhaighinn?

Mr MacLeod: 'S urrainn gu dearbh. Fìon dearg, mas e do thoil e. Chì mi aig ochd uairean thu, ma-tha. Tìoraidh.

An urrainn dhomh botal fìon fhaighinn?

'S urrainn gu dearbh.

At home
Aig an taigh

Mr MacLeod and Mrs Coates have enjoyed their meal.

Mrs Coates: Uill, bha sin math, Iain. Tha thu math air còcaireachd, ceart gu leòr. *(She decides to confide in him)* Is beag orm fhìn còcaireachd. Is beag orm a bhith aig an taigh fad an latha. Tha mi airson a dhol air ais a dh'obair. Ach tha Bill ag ràdh gu bheil Lewis ro òg.

Mr MacLeod: Tha Bill ceart. Tha Lewis fada ro òg. Tha tìde gu leòr ann fhathast.

Mrs Coates: Och, Iain! Bidh thusa a' dol a-mach a dh'obair a h-uile madainn. Tha mise aig an taigh fad an latha.

Mr MacLeod: O, a Charol! Chan eil e cho furasda. Tha obair agam, ceart gu leòr, ach is beag orm m' obair. Uill....chan eil an obair cho dona, ach is beag orm Glaschu. Cha robh mi airson tighinn a Ghlaschu idir.

Mrs Coates: O, Iain! Cha robh fhios agam.

Mr MacLeod: Dè as urrainn dhomh a dhèanamh? Tha Eòghann agus Eilidh anns an sgoil. Tha Màiri Anna ag obair. Agus Granaidh … tha e doirbh. Tha e glè, glè dhoirbh.

Next day at work, Mr MacLeod is summoned by his boss, Mr MacCallum.

Mr MacCallum: Nise, Iain, feumaidh sinn bruidhinn – an-dràsda.

Mr MacLeod: An-dràsda? Tha dùil agam a dhol dhan bhanca …

Mr MacCallum: An-dràsda, mas e do thoil e … Siuthad … Suidh sìos.

Mr MacCallum begins by asking where Mr MacLeod comes from.

Mr MacCallum: Cò às a tha thu, Iain?

Mr MacLeod: A Leòdhas.

Mr MacCallum: A bheil dùil agad a dhol air ais a Leòdhas, ma-tha?

Mr MacLeod: Bidh sinn a dol ann a h-uile bliadhna. As t-samhradh.

Mr MacCallum: Ach chan e saor-làithean a tha mi a' ciallachadh. Dè mu dheidhinn tilleadh?

Mr MacLeod: Och uill, tha dùil againn tilleadh a Leòdhas aon latha. Nach eil dùil aig a h-uile Leòdhasach tilleadh a Leòdhas aon latha? Ach tha an obair ann an Glaschu.

But Mr MacCallum has interesting news …

Mr MacCallum: Iain, tha sinn airson oifis ùr fhosgladh ann an Steòrnabhagh. Agus bidh sinn ag iarraidh manaidsear … Iain, a bheil thu airson a dhol a Steòrnabhagh? Mar mhanaidsear anns an oifis ùr.

Mr MacLeod *(thrilled):* O, tha! O, chiall, tha!

Mr MacCallum goes on to pour a celebratory drink and invite the MacLeods to dinner.

Mr MacCallum: Nise, dè tha thu fhèin agus Màiri Anna a' dèanamh a-nochd? Dè mu dheidhinn dìnneir?

Mr MacLeod: O, tha mi duilich. Tha Màiri Anna ann an Lunnainn an-dràsda.

Mr MacCallum: Dè tha i a' dèanamh ann an Lunnainn?

Mr MacLeod: Tha i ag obair. Tha coinneamhan aice fad na seachdain.

Mr MacCallum: A bheil gu dearbh? Cuin a bhios i a' tilleadh dhachaigh?

Mr MacLeod: Dihaoine. Tha dùil agam rithe feasgar Dihaoine.

Mr MacCallum: Dè mu dheidhinn feasgar Disathairne? An tig thu fhèin agus Màiri Anna a-mach gu dìnneir feasgar Disathairne?

Mr MacLeod: Tapadh leibh. Bidh sin math.

Mr MacCallum: Ceart, ma-tha. Bidh dùil agam ris an dithis agaibh feasgar Disathairne. Aig ochd uairean.

Julie and Sharon are chatting as they shop in their lunch-hour:

Julie: Dè tha ceàrr air Màiri Anna an-diugh?

Sharon: Chan eil fhios agam. Cha robh i a' coimhead gu math idir.

Julie: Tha mi an dòchas nach eil càil ceàrr aig an taigh.

They return to work, bringing with them a box of chocolates for Mrs MacLeod, in an effort to cheer her up. But when they give them to her, she bursts into tears.

Julie: A Mhàiri Anna! Dè tha ceàrr?

Mrs MacLeod: Fhuair Iain obair …

Sharon: Uill, tha sin math … nach eil?

Julie: Càite, a Mhàiri Anna, càit a bheil an obair?

Mrs MacLeod: Ann an Leòdhas. Tha sinn a' dol air ais a dh'fhuireach ann an Leòdhas.

Sharon: Chan urrainn dhuibh! Tha Leòdhas ro fhad' air falbh.

Julie: Dè am beachd a th' aig Eilidh agus Eòghann mu dheidhinn seo?

Mrs MacLeod: Chan eil fhios aig Eilidh agus Eòghann fhathast.

Sharon: Agus dè mu dheidhinn Granaidh bhochd? Chan urrainn dhuibh Granaidh fhàgail ann an Dùn Eideann, an urrainn?

Mrs MacLeod: Tha thu ceart. Chan urrainn dhuinn màthair Iain fhàgail ann an Dùn Eideann.

Chan urrainn dhuinn màthair Iain fhàgail ann an Dùn Eideann.

Tha mi fhìn agus Julie a' dol a-null dhan Spàinn airson seachdain.

But the plans go ahead and soon the MacLeods are having a farewell party for all their friends. Several conversations are going on at the same time. Julie and Sharon are talking to Eilidh and Mrs Coates.

Sharon: Tha mi fhìn agus Julie a' dol a-null dhan Spàinn airson seachdain.

Eilidh bursts into tears.

Sharon: Dè tha ceàrr air Eilidh?

Mrs Coates: Bha dùil aig Eilidh a dhol dhan Spàinn as t-samhradh còmhla ris an sgoil...

Julie: O, Eilidh bhochd!

Mr Coates is talking to Mr MacLeod.

Mr Coates: An do cheannaich duine an taigh fhathast, Iain?

Mr MacLeod: Cha do cheannaich. Ach thàinig surveyor a-mach an-diugh anns a' mhadainn.

Mr Coates: O, tha mi toilichte sin a chluinntinn.

Tha mi toilichte sin a chluinntinn.

Mr Coates proposes a toast:

Mr Coates: Uill, a chàirdean, tha Iain agus Màiri Anna agus a' chlann a' falbh a Steòrnabhagh. Iain, tha sinn uile an dòchas gun còrd an obair ùr riut. Nise, a bheil deoch aig a h-uile duine?....Gu Iain agus Màiri Anna agus an teaghlach!

But Mrs MacLeod still has mixed feelings about the move.

Tha sinn uile an dòchas gun còrd an obair ùr riut, Iain. Gu Iain agus Màiri Anna agus an teaghlach!

DANNSAICHEAN GAIDHEALACH

There are various kinds of 'Highland' dances. The oldest and most native are probably dances such as *Dannsa a' Chlaidheimh* (the Sword Dance) – also called *Gille Caluim – Seann Triubhas* (Old Trews) and reels like *Ruidhle nam Pòg* (the Reel of Kisses) and *Ruidhle Thulachain* (the Reel of Tulloch). *Ruidhle Thulachain* is virtually the same dance as Babbity Bowster or The White Cockade – the well known kissing dance.

Then there are Country Dances, many of which are not Highland or even Scottish in origin, although set to Scottish or Irish tunes. Country dances – along with minuets and reels – became popular in Scotland in the 18th century through the Balls and Dance Assemblies of Lowland towns. The Reels, which the Royal Scottish Country Dance Society includes with Country Dances, appear to have roots in the Highlands. There is, for example, *An Ruidhle Gaidhealach* (the Highland Reel), a dance for four, also called *Ruidhle mun Cuairt nan Cailleachan* (the Old Women's Roundabout Reel) or *Ruidhle Mòr*. Some

of the dances popular nowadays at 'Highland' events are of more recent origin. The Eightsome Reel is said to date from the 1870s and to combine features of the Scotch Reel and the Quadrille, while the Dashing White Sergeant is a mix of the Scotch Reel and other elements.

Hebridean Dances were introduced to the Uists by Ewen MacLachlan in the mid 19th century. He studied dance in France and taught dances set to Highland bagpipe music on his return to Scotland. The origins of the dances he promoted are still debated.

In recent years Hebridean Dances or *Dannsa nan Eileanach,* as they have been named, have made a comeback at *fèisean* like *Fèis Bharraigh*. A Board (*Bòrd Dannsa nan Eileanach)* has been established to promote and protect the dances, which are said to have French influence and to resemble Irish step dancing. They have names like *Till*

Children learning Highland dancing at school in Argyll

A-rithist (Aberdeen Lassie), *Mac Iain Ghasda* (Hieland Laddie) and *Thairis an Aiseig gu Teàrlach* (Over the Water to Charlie).

Many of the ancient Gaelic dances have been lost, although the names survive. Such a dance was *Cailleach an Dùdain* (the Carlin of the Mill Dust) – a ritualistic dance with male and female roles in which the female was killed and then restored to life. Another was *Dannsa nan Tunnag* (Ducks' Dance), which was also a children's game.

Telecottages and Networking

Could the telecottage, or Community Teleservice Centre (CTC) as it has been named in the Highlands, become the focal point, or even the ceilidh place, for the Highland village – just as the smithy (*ceàrdach*) was in the past? CTCs allow the local community access to the latest developments in information technology and have already been established in places as far apart as Uist and Islay. But what exactly is a telecottage?

The concept is part of a wider development, called teleworking, involving the exchange of information through computer and telephone links, namely, faxes, modems and computer networks. The Americans call it telecommuting and it allows people to work from home for a company whose base could be miles away. Teleworking in the Highlands became possible with the conversion of 43 exchanges to ISDN (Integrated Services Digital Network). The region now has the most advanced telecommunications

Teleworkers in Islay

infrastructure in rural Europe. The new system allows for the rapid transfer of information over the telephone line to anywhere in the world. While business, of course, benefits from the new technology, it was the prospect of improved rural communication which motivated *Iomairt na*

Gaidhealtachd (Highlands and Islands Enterprise) and others to set up a pilot project in 1991.

CTCs were set up in *Sealtainn* (Shetland), *Arcaibh* (Orkney), *Ile* (Islay), *Ceann Loch Gilb* (Lochgilphead) and *Beinn na Fadhla* (Benbecula). The latter is based in *Sgoil Lìonacleit* and provides a community printing service – business cards, wedding invitations, etc. – in addition to photo-copying and fax facilities.

Schools have also grasped the new opportunities available from computer networking. Thirty-one schools in Highland Region exchange information and learning materials in this way.

Sabhal Mòr Ostaig, the Gaelic College in Skye, is connected via the SUN IPC network with universities throughout the world. The Gaelic-L group, an association of 220 members interested in Gaelic, communicate in Gaelic, Irish and Manx. The College regularly deals with enquiries from abroad.

Gnàthasan-cainnt

As you progress in Gaelic you will notice that, like all languages, it has its own idioms – *gnàthasan-cainnt*. The thing to remember about idioms is that if you translate them literally they may not appear all that meaningful. The following is a small selection of common and useful idioms. The English equivalent is given, not a direct translation.

air – The basic meaning of air is on, but, as Dwelly, author of the most comprehensive Gaelic dictionary, says, 'it has idiomatic uses almost without number.' Here are a few of them.

air m' onair – honestly
Air m' onair, chan eil fhios agam. Honestly, I don't know.

thig + air – have to
Thig orm a dhol dhachaigh. I'll have to go home.
Thig oirnn falbh ann an còig mionaidean. We'll have to go in five minutes.

thig + a-steach + air – occur to
Thàinig e a-steach orm. It occurred to me.

leig + air – let on, pretend
Na leig guth ort. Don't let anything on. Be quiet about it.
'S ann a' leigeil air a tha e. He's just pretending.

eagal + air – afraid
Tha eagal orm. I'm afraid.

cò air …? – what …about?
Cò air a tha thu a-mach? What are you on about?
Cò air a tha thu a' bruidhinn? What are you speaking about?

beag air bheag / mean air mhean – little by little, gradually
Rinn e an obair beag air bheag. He did the work little by little.
Dh'èirich a' ghaoth mean air mhean. The wind rose gradually.

cha mhòr nach … – almost …
Cha mhòr nach eil e deiseil. It's almost finished (or ready).

cha mhòr gu … – hardly …
Cha mhòr gu bheil dad air fhàgail. There is hardly any left.

cò leis …? – whose?
Cò leis a tha an t-seacaid? Whose is the jacket?

verb + gnothach / gnothaich – *gnothach* or *gnothaich* means business, matter or concern but it changes meaning, depending on which verb accompanies it, for example:
Na gabh gnothach ris. Don't have anything to do with him (or it).
Nì sin an gnothaich. That will suffice.
Rinn mi an gnothaich air an doras fhosgladh. I managed to open the door.

cas + a' falbh + a' fuireach – indecisive about going somewhere.
Bha e cas a' falbh agus cas a' fuireach. He was undecided whether to go (somewhere) or stay.

a' tighinn + ri – wrong with
Dè tha a' tighinn riut? What's wrong with you? What's the matter?

leam-leat – two-faced, fickle
Tha e cho leam-leat. He's so changeable.

fada – much, far (literally): long in distance or time
Tha sin fada nas fheàrr. That's much better.
Tha fada a bharrachd an sin. There's far more there.
a' gabhail fadachd – feeling the time long
Bha mi a' gabhail fadachd nach robh e a' tighinn. I was longing for him to come.

eadar … – both
Eadar bheag is mhòr. Both great and small.
Eadar cheann is chasan. Both head and feet.
eadar dhà bharail / bheachd – undecided between two opinions, in two minds
Bha mi eadar dhà bharail mun lèine a cheannach. I was in two minds whether or not to buy the shirt.

a' dol + ris – set about something
Tha thu a' dol ris gu math. You're making a good job of it.

cò ris …? – What …up to?
Cò ris a tha thu an-dràsda? What are you up to just now? What are you doing just now?

cò ris …? – to whom?
Cò ris a bha thu a' bruidhinn? To whom were you speaking?

sin agad e – that's it, there you have it. Often said after telling something, or to round something off.
Sin agad e, ma-tha. That's it, then.

abair (thusa)! – *like English* O what a …!
Abair thusa latha brèagha! What a lovely day!
Abair duine còir! What a really kind man!

o mhoch gu dubh – from dawn to dusk
Bha mi ag obair o mhoch gu dubh. I was working all day long.

seachd searbh – sick of …
Tha mi seachd searbh sgìth dheth. I'm sick and tired of it.

an + cois – with, beside
Tha an nighean bheag na chois. The little girl is with him.
An cois na mara. Beside the sea.

Turasachd Chultarach
Cultural tourism

Cultural tourism, or the promotion of a country's heritage to attract the visitor, is seen by EC officials as an important industry of the future. It is part of a European and, indeed, a world trend. Tourism is, after all, the world's largest industry. Cultural tourism in the Highlands is not new and takes many forms. Gaelic-related tourism is more recent. It includes the Gaelic arts, linking Gaelic to the environment with bilingual signs, and interpretive centres which use Gaelic. Tourist Board brochures now include the 'G' symbol. This enables the visitor to choose a hotel or B & B where Gaelic is spoken.

The Isle of Skye is at the forefront of the latest developments. *Dualchas an Eilein* (Skye Heritage Centre), located in the newly-constructed *Aros* building on the outskirts of Portree, is a model of its kind. The *Aros* exhibition uses Gaelic both visually and in the audio presentation. Another centre which interprets the history of the Gael is *Ionad Luchd-Tadhail Chlann Dòmhnaill* (Clan Donald Visitor Centre). It also has a valuable library and genealogical records of Skye families on microfilm. A few miles down the road is *Taigh-Osda Eilean Iarmain* (Isle Ornsay Hotel) with its informal Gaelic ambience.

In Inverness, Balnain House is a resource and interpretive centre for Highland Music – the only one of its kind in the Highlands.

There are developments in cultural tourism in the Western Isles also. *Comunn Eachdraidh Nis* (Ness Historical Society) is planning a bilingual exhibition on the fishing industry for 1994, and the Southern Isles Amenity Trust is aiming for a bilingual museum and arts centre at *Taigh Chearsabhagh* in *Loch nam Madadh* (Lochmaddy). *An Lanntair,* Stornoway, continues to be a focal point for cultural events in Lewis. In the summer months, there are numerous *fèisean* (festivals), drama events and ceilidhs with Gaelic music and song throughout the Highlands, while Sabhal Mòr Ostaig in Skye runs classes in Gaelic, clarsach, traditional singing, dance and fiddle which attract people from all over the world.

HRH Prince Edward is shown round Balnain House by Chairman of Balnain House Fred Macaulay and manager Lucy Conway

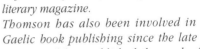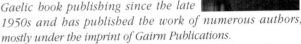

RUARAIDH MACTHOMAIS

Ruaraidh MacThòmais *(Derick Thomson), the poet and scholar, has been one of the key figures on the Gaelic literary scene for over forty years. He held the Chair of Celtic at the University of Glasgow from 1964 to 1991 and was co-founder of* Gairm, *the only all-Gaelic literary magazine.*

Thomson has also been involved in Gaelic book publishing since the late 1950s and has published the work of numerous authors, mostly under the imprint of Gairm Publications.

His interest in publishing led him to establish the Glasgow University Celtic Department's own imprint, which has published over twenty Gaelic and Gaelic-related titles. He was largely instrumental in founding the Gaelic Books Council, which he chaired until his retirement. He is also president of the Scottish Gaelic Texts Society.

Besides being editor of Gairm, *Thomson is author of* An Introduction to Gaelic Poetry *(1974), essential reading for anyone interested in the subject. He also edited* The Companion to Gaelic Scotland *(1983) – a compendium of information difficult to obtain elsewhere. However, many observers would claim that his poetry, written over a period of more than 50 years, is Thomson's greatest achievement. His* Creachadh na Clàrsaich *(Plundering the Harp), collected poems 1940 - 1980, was joint winner of the Saltire Scottish Book of the Year Award. This was followed in 1991 by* Smeur an Dòchais *(Bramble of Hope) – a collection of recent compositions.*

Comainn Baile Ghlaschu

Wherever Highlanders settle, they tend to form societies based on clans, area of origin or language. Glasgow has for long had a large population of Gaels, and it was inevitable that they would come together for friendship and mutual support.

Membership of these territorial associations is based on island or area of origin, including, for instance, the Glasgow Islay, Mull and Iona, Lewis and Harris and Sutherlandshire associations.

Most of them were formed in the 19th century, when the growth of industry in the Lowlands and the lack of employment opportunities at home meant a large increase in the number of Glasgow Highlanders. In those days an important part of their activities was assisting young people to establish themselves in the city and offering help to those in need. They would also organise ceilidhs, outings and lectures, and such activities continue today. The major social event nowadays is the Annual Gathering. Each association holds its own gathering in various locations throughout the city.

Although perhaps not as numerous or strong as in the past, the territorial associations still take an interest in their home areas. The Tiree Association, for instance, has given help to the eventide home in Tiree and assisted pupils from the island travelling to the National Mod. Recently some of the associations came together to assist with the cost of transporting pupils to Gaelic Medium Units in city schools.

I CHALUIM CHILLE

'**S**e àite trang a tha ann am Fionnphort ann am Muile. Ma bhitheas tu ann as t-Samhradh chì thu mòran chàraichean is bhusaichean air am fàgail faisg air a' chidhe. Chan fhaod luchd-turais càraichean a thoirt a-null air a' bhàta-aiseig. Ach tha ceudan a' tighinn gach latha agus iad ag iarraidh a dhol a-null gu Eilean Idhe. Carson?

Every year Iona (in Gaelic *I*, *I Chaluim Chille* or *Eilean Idhe*) attracts tens of thousands of visitors from all over the world. What, we may ask, attracts people to a tiny, remote island off the Ross of Mull? To find the answer we have to go back over fourteen hundred years to the foundation of the Scots kingdom of Dalriada by settlers from Antrim in the North of Ireland.

Around 565 AD a prince of the royal line established a monastery in Iona. *Calum Cille*, better known today as Saint Columba, was already celebrated in Ireland as a churchman and statesman. He was a charismatic and complex personality – gentle and much loved by his followers, he was also an energetic missionary, administrator and politician. He was the subject of the first Scottish biography – by Adamnan, the ninth Abbot of Iona, who died in 704.

Calum Cille founded seven other monasteries in Scotland and helped establish Iona as one of the main centres of the Celtic Church. Iona played a significant part in the conversion of the English to Christianity through its monastic settlement on the island of Lindisfarne, which became the centre of the Celtic Church in Northumbria. Monks from Iona were also active on the Continent, in Germany and Switzerland.

Today a visitor to Iona can visit and worship in the Cathedral, originally built around 1200 AD by Reginald, Lord of the Isles, and restored this century by the Iona Community. The remains of the Augustinian Nunnery, also built in the thirteenth century, still make an impressive sight.

The arrival of the Benedictine and Augustinian orders meant the disappearance of the Celtic monks, but these orders in turn were dispersed by the Reformation. The name most closely associated with Iona remains *Calum Cille* – the dove of the Church.

mòran chàraichean is bhusaichean – many cars and buses
bàta-aiseig – ferry   *ceudan* – hundreds

Am Politician

Thàinig bàt' air tìr dhan àit'
A dh'fhàg mise fo mhighean;
Fhuair mi aiste dràm no dhà –
'S e sin a dh'fhàg cho tinn mi...

A ship was stranded here
which has left me with the grumps;
from it I took a dram or two –
that's what's made me so ill...

from *Oran na Politician* by Roderick Campbell

The tale of the SS *Politician* is now part of Highland myth, largely due to the film *Whisky Galore* and the best-selling book of the same name by Compton Mackenzie. In the southern isles they call the sea *Cuile Mhuire* (Mary's Treasure Chest) and look on its produce, and what is thrown up on the beach, as Providence.

On February 5, 1941, in the darkest days of the war, the SS *Politician* was stranded in the Sound of Eriskay. It was bound for Kingston, Jamaica with a very varied cargo, including Jamaican banknotes, soaps and medicines and even flycatchers. But what made the *Politician* special was its other cargo, contained in hold number five — 264, 000 bottles of the very best Scotch whisky.

The crew of the *Politician* were all rescued, and it was thought the vessel could be salvaged. But it was not to be, and for the inhabitants of Barra, Eriskay and South Uist the temptation proved too great. They took to their boats and proceeded to do some salvage work themselves. They were not alone. Small boats came from as far away as Oban, Gairloch and Kyle. The police tended to turn a blind eye, but the local Customs and Excise officials were more zealous and some of the islanders were fined or imprisoned.

The wreck of the *Politician* is now at the bottom of the sea. In 1987 divers salvaged a number of bottles, whose contents were undrinkable. They were, however, auctioned by Christie's. A pair of them fetched £1,155!

An Clò Hearach – fàire ùr a' nochdadh
Harris Tweed — new horizons

The weaving of Harris Tweed (*An Clò Mòr* or *An Clò Hearach*) has traditionally been one of the most important industries of Lewis and, to a lesser extent, Harris. Although the cloth originated in Harris, Lewis soon became the major production centre. Now there are over 400 weavers (*breabadairean*), 20 of them in Harris. The weaver (*am breabadair*) is home-based and is supplied with yarn from the mills in Stornoway, Shawbost and Carloway. The mills themselves employ about 200 workers.

In the 1960s there were 1,500 weavers. The 70s and 80s witnessed a declining market, part of which was blamed on the type of loom used, the Hattersley Domestic, which allowed only for a single width of cloth. There were unsuccessful attempts in the 70s to bring in a double width loom.

Now things are progressing and a major restructuring of the industry is taking place. In October 1993 an Act of Parliament established the Harris Tweed Authority in place of the Harris Tweed Association. This should make the protection of the jealously guarded Orb mark easier. It also means that producers can use fine grade wool other than virgin Scottish wool. Part of the problem in the past was that, with the demand for finer tweed, there simply wasn't enough fine grade wool available in Scotland. And with the introduction of the Bonas-Griffith double width loom this year the industry appears set for a period of expansion.

Ceanglaichean Ceilteach
Celtic Links

Until the disintegration of the clan system in the 17th and 18th centuries, there had been much communication between Ireland and the Gaidhealtachd of Scotland. Poets, musicians, soldiers and the aristocracy had travelled freely between both countries keeping these links alive. More recently, some of these Scottish/Irish ties have been revived and, indeed, there are links now between all the Celtic lands.

There is an annual International Celtic Film and Television Festival which rotates between the different Celtic lands. A competitive festival for films and TV programmes, it was first held in Uist in 1980. Music festivals are also popular. Lorient in Brittany hosts an annual Interceltic Festival which attracts performers from each of the Celtic lands. The Pan-Celtic Festival, held yearly in Ireland, also attracts participants from all the Celtic lands.

Cuairt nam Bàrd (the Poets' Tour) is an annual exchange visit of poets, singers and musicians between Ireland and Scotland. A book, *Sruth na Maoile*, was published to celebrate the 21st anniversary of the tour. The strengthening of the links between the Celtic lands is one of the aims of *A' Chòmhdhail Cheilteach* (The Celtic Congress). Over 200 delegates attended the 1993 Congress in Inverness, where the theme was 'Celtic Youth'. During the week there were addresses by young delegates, discussion forums, workshops for song, drama and dance, a shinty match, excursions and concerts. The 1994 Congress will be in Cornwall.

There is also co-operation in education, publishing and the media. Links have been established between schools, colleges and universities and there have been several co-productions in the publication and broadcasting fields.

The Battlefield Band performing at a folk festival

Donald MacAulay (*Dòmhnall MacAmhlaigh*) was born on Bernera, Isle of Lewis in 1930 and was appointed Professor of Celtic at the University of Glasgow in 1991, having previously been Reader in Celtic at the University of Aberdeen. He is chairman of *Comhairle nan Leabhraichean* (the Gaelic Books Council) and is the leading writer on Gaelic linguistics. He edited and contributed to the scholarly volume *The Celtic Languages*, published by Cambridge University Press in 1992.

It is, however, as poet and writer that *Dòmhnall MacAmhlaigh* is best known to the Gaelic reading public. His reputation as poet is based on the collection *Seòbhrach às a' Chlaich* (A Primrose from the Stone) and on subsequent publication in periodicals. He is one of the so-called 'famous five' whose work comprises the anthology *Nua-Bhàrdachd Ghàidhlig* (Modern Scottish Gaelic Poems), first published in 1976, of which he is also the editor. Non-Gaelic speakers can gain access to his poetry through the parallel English translations in this anthology.

 # *Gairm*

Tha an ràitheachan Gairm air a bhith a' dol airson còrr agus dà fhichead bliadhna. Anns an ùine sin tha mòran sgrìobhaichean air tighinn am follais ann, nam measg Iain Mac a' Ghobhainn, Cailein T MacCoinnich agus Dòmhnall Iain MacIomhair.

The earliest Gaelic periodical was *An Rosroine,* published in Glasgow in 1803. It lasted for four numbers. The same cannot be said for the quarterly *Gairm,* the only current all-Gaelic literary magazine. It was founded in 1952 by the poet *Ruaraidh MacThòmais* (Derick Thomson) and the broadcaster *Fionnlagh I. MacDhòmhnaill* (Finlay J. MacDonald). They co-edited the magazine from 1952 until 1964 when Thomson became sole editor.

While *Gairm* gives prominence to literature and reviews, it is not exclusively a literary magazine. From the beginning it has featured articles by a variety of authors on all types of subjects – current affairs, foreign travel, crofting, cookery, music, politics and even rheumatism!

Neither has it remained static. Over the years it has attracted fresh writers from time to time with different interests and talents.

In the early days (1952-62) there was a woman's page and a course for Gaelic learners, and in later issues stories for children. *Gairm* has been important for its encouragement of new Gaelic writing, but it is equally important as a record of the contemporary Gaelic world in the latter half of the 20th century. It is as if a team had been brought together and instructed to write an encyclopaedia of Gaeldom – and they have largely succeeded. Any magazine which can intrigue with a title like *Medusa, an Cuclopach agus an Daily Record* (Medusa, the Cyclops and the Daily Record) has much to recommend it!

ràitheachan – quarterly magazine
còrr agus – more than, over
ùine – (a spell of) time
sgrìobhaichean – writers
tha ... air tighinn am follais – have come to light
nam measg – including

LUCHD-OBRACH ANNS A' CHOIMHEARSNACHD

ANNA NicSUAIN

Tha Anna NicSuain a' fuireach ann an Dail bho Thuath, Nis, ann an Leòdhas. Tha ceathrar bhalach aice, ach tha i glè thrang air rudan eile cuideachd. Aig aon àm bha i a' teagasg Gàidhlig ann an Sgoil MhicNeacail ann an Steòrnabhagh. An-diugh tha i ag obair bho a dachaigh fhèin.

Annie MacSween lives in Ness, Isle of Lewis and has for long been involved with projects in her own area and beyond. She is especially associated with *Comunn Eachdraidh Nis* (the Ness Historical Society), which she helped to found in 1977. It has done much valuable work since then, collecting songs, stories, genealogical and historical data and information on land ownership.

Initially located in the old Lionel Schoolhouse, the society now has accommodation in the newly established *Ionad Teicneòlais* (the Ness telecottage), where local people can have access to the latest information technology.

The work Annie MacSween does for the *Comunn Eachdraidh* is voluntary. At home she is busy with commissioned Gaelic work for over 20 organisations. This involves research, translation and writing.

She is also involved with translating computer software for a project run by a network of local authorities. Their aim is to make computer software available to schools throughout Scotland. Other projects she has been involved in are the learners' course *Siuthad* and the translation of *Bìoball na Cloinne* (The Children's Bible) from English to Gaelic.

Dail bho Thuath – North Dell
ag obair bho a dachaigh fhèin – working from her own home

COINNEACH MacMHATHAIN

Tha Coinneach MacMhathain a' fuireach ann am Brù ann an Leòdhas. 'S e eòlaiche choimpiutairean a th' ann agus tha e ag obair bhon taigh aige fhèin. Tha a bhean, Lesley, cuideachd ag obair air coimpiutairean – a' cruthachadh stòr-dàta airson sgoiltean.

Kenneth Matheson's name is synonymous with Bruetel, a computer databank used extensively by schools in the Western Isles. By using Bruetel, schools can tap into information on various subjects – and keep in touch with each other using the latest technology. Kenneth Matheson is employed by the Education Department of *Comhairle nan Eilean* (the Western Isles Islands Council) and, working with the Council's computing adviser, keeps them up to date with new developments in the world of computers and information technology.

He is also available to offer advice to schools over the telephone, and trains Education Department employees in computer skills. In addition, he is part of the team translating computer software for schools throughout Scotland.

His wife, Lesley, is also involved in information technology, creating an index on computer of Gaelic books, poetry, articles, tapes and CDs, together with an index of the material in the magazine *Gairm*. This is available to schools and libraries in the Western Isles.

eòlaiche choimpiutairean – a computer expert
bhon taigh aige fhèin – from his own home
a' cruthachadh stòr-dàta – creating a data-bank

Buidhnean Gàidhlig
Gaelic associations and societies

The last ten years have witnessed what can only be described as a remarkable growth in Gaelic-related groups. Mention has already been made of some of them in Books 1 and 2 of *Speaking Our Language,* for example bodies like *Comunn na Gàidhlig* (CNAG) and Comhairle nan Sgoiltean Araich (The Gaelic Pre-School Council).

The new bodies fulfil social, commercial and educational functions. Some, like *Comataidh Telebhisein Gàidhlig,* have statutory status. It was established by Act of Parliament to oversee the distribution of the Government-sponsored Gaelic Television Fund. Other bodies like CNAG are semi-official, while others have arisen spontaneously in response to a perceived need, for example *Lìon,* a network of organisations making provision for learners of Gaelic. There are other groups which represent specific interests. Examples are *Club Gnìomhachais nan Gaidheal* (The Gaelic Business Club), which provides a forum for the interests of the Gaelic-speaking business community, and *Comann Gàidhlig Seirbheis na Slàinte* (The Gaelic Health Service Association), which promotes the use of Gaelic in the Health Service.

Side by side with the new groups there are numerous older and well-established societies. Aberdeen, Edinburgh and Glasgow Universities all have their Celtic or Highland societies. There are Gaelic Societies in Glasgow, London, Perth and Inverness. The last mentioned was founded in 1871, has a worldwide membership and is well known for its *Transactions* — scholarly volumes on a variety of topics.

There are also Gaelic choirs throughout Scotland and beyond. CNAG's Directory of Gaelic Organisations lists 43 Senior Choirs and 39 Junior Choirs, including some in Canada and Australia! The choirs perform at the provincial Mods and often go on to perform at the National Mod.

Sgoil Lìonacleit

Tha Sgoil Lìonacleit ann am Beinn na Fadhla. 'S e sgoil ùr a th' innte. Tha i a-nis air a bhith fosgailte airson còig bliadhna. A bharrachd air obair-sgoile, bidh mòran nithean eile a' tachairt innte.

Sgoil Lìonacleit, in Benbecula, is a six-year secondary school serving the communities of five islands – *Beàrnaraigh* (Berneray), *Uibhist a Tuath* (North Uist), *Uibhist a Deas* (South Uist), *Beinn na Fadhla* (Benbecula) and *Eirisgeigh* (Eriskay). Before it opened in 1988, pupils from these islands who wanted to continue their education had to leave home and board in Stornoway.

Sgoil Lìonacleit is much more than a school. It is a community centre, incorporating a theatre, swimming pool, cafeteria, museum and public library, all open to the public and extensively used by community groups. It houses a Community Teleservice Centre (CTC) and the Southern Isles Amenity Trust. The well-equipped theatre seats 150 and is used frequently by drama groups and touring companies including *Dràma Nàiseanta na h-Oigridh* (the National Gaelic Youth Theatre), which runs an annual drama course based in the school.

It is also the annual venue for *Fèis Tìr a' Mhurain,* a festival run entirely through the medium of Gaelic. The museum displays various exhibitions throughout the year. A recent one was on the role of women in the Uists. This coincided with a Women's Day series of events entitled *Cò air a tha a' bhriogais?* (Who wears the trousers?)

a bharrachd air – in addition to, over and above
Fèis Tìr a' Mhurain – *Tìr a' Mhurain* refers to South Uist and means The Land of the Marram Grass, a grass which grows by the seaside.
air a bhith fosgailte – has been open
nithean – things
a' tachairt – happening

Na h-Eaglaisean air a' Ghaidhealtachd

Visitors to the Highlands might be surprised to discover two, three or even four churches belonging to different denominations in the same village. The influence of religion in the area has been profound and its roots go deep. The main denominations are *An Eaglais Chaitligeach* (the Roman Catholic Church), *Eaglais na h-Alba* (the Church of Scotland) and *An Eaglais Shaor* (The Free Church). *An Eaglais Bhaisteach* (The Baptist Church), *An Eaglais Easbaigeach* (The Scottish Episcopal Church), *An Eaglais Shaor Chlèireach* (The Free Presbyterian Church) and the APC (Associated Presbyterian Churches) are also strong in particular areas of the Highlands.

The churches have on the whole been supportive of the Gaelic language and services are conducted in Gaelic where the demand for such exists, and where Gaelic-speaking clergy are available. Since the introduction of the vernacular liturgy in 1968, Gaelic has come to play a greater part in the Roman Catholic Church, including the production of hymns to accompany the Mass.

In many Protestant churches in the Highlands *an comanachadh* or *na h-òrdaighean* (the communion) is an important event held two or three times a year. Usually there are two visiting ministers from other parishes and services are conducted from Thursday to Monday. Traditionally Thursday is called *Latha na Traisge* (Fast-day), although no longer observed as such. Friday is *Latha na Ceiste* (Question day) when members of the congregation will in turn expound on a biblical verse. Special to the Catholic tradition are devotional periods such as *An Carghas* (Lent) and *A' Chàisg* (Easter).

An interesting feature of Gaelic worship in the Protestant denominations is the psalm singing, which has been compared to Eastern music. The person leading the singing is the precentor *(fear togail an fhuinn),* who gives out the psalm line by line. The congregation repeats each line after him, adding grace notes and ornamentation. The Free and Free Presbyterian Churches do not use hymns or musical accompaniment in their public services. Although the Highlands, like elsewhere, have come under secular influence, the church remains a strong force in most areas.

Sgoil Eòlais na h-Alba

Sgoil Eòlais na h-Alba (the School of Scottish Studies) was founded in 1951 and is a Department of the University of Edinburgh. Over the years it has gained an international reputation for its work in the collection of folklore, including songs and music, tales and information on social customs and place-names. It has an archive of some 4,500 tapes with about 3,000 hours of recording. Three-quarters of the material is in Gaelic and the remainder in Scots and English. About 5,000 Gaelic songs and 3,000 ballads, bothy-songs, and children's songs in Scots feature in the collection.

Angus MacNeil being recorded

The establishment of the School was a timely event as far as the collecting of Gaelic material was concerned. In 1951 oral tradition *(beul-aithris)* still survived thanks to the tradition bearer or *seanchaidh*. There were plenty of *òrain* (songs), *sgeulachdan* (stories) and *ceòl* (music) to record. People would visit each other's houses for a *cèilidh* and tell stories and sing songs. Television had not yet arrived. The material recorded by the School is thus an invaluable record of the lives of ordinary people. One of the School's activities, apart from research and teaching, is bringing the material they have collected to the notice of the public. Its touring exhibition, *The Carrying Stream*, has visited towns throughout Scotland. It features some of the photographs from the School's extensive print collection and looks at the crafts, customs and buildings of Highland and Lowland Scotland, and at the lives and traditions of their communities.

Profile of a Gaelic Learner Family

Rugadh Wendy NicDhonnghaile ann an Astràilia. Tha i fhèin agus Pàdraig, an duine aice, a' fuireach ann am Port na Bànrigh. Tha i ag ionnsachadh Gàidhlig. Tha an dithis chloinne aca, Alasdair (6) agus Lachlann (5), a' dol dhan sgoil Ghàidhlig ann an Dùn Eideann.

Twenty-eight year old Wendy Donnelly is Australian by birth and came to live in Scotland when she was eighteen. It was while studying Geology at Edinburgh University that she met Peter, her future husband. He was learning Gaelic at the time, and she also became interested in the language. She now works as an architectural technician, while Peter is employed by ScotRail.

They live in South Queensferry and have a family of two, Alasdair (6) and Lachlan (5). The boys attended Gaelic Nursery School before going on to the Gaelic Medium Unit in Tollcross Primary School, Edinburgh. Wendy doesn't consider herself to be as fluent as her husband, but is improving steadily. There isn't much opportunity to practise speaking Gaelic at work, but they like to go to the Highland Society's ceilidhs in Dunfermline, where they get a chance to meet other Gaelic learners and speakers. She likes to watch *Machair* and children's television programmes and is a keen shinty fan.

Peter has always spoken to the children in Gaelic. After starting at the Gaelic Nursery, their Gaelic, he says, came on by leaps and bounds. For Peter himself, a watershed in his learning of the language was when, as a student in Aberdeen, he toured the islands with Aberdeen University Celtic Society. They were performing a revue written by Iain Crichton Smith. "It was then I realised," he said, "that Gaelic is a living language, spoken by ordinary people."

Dràma Gàidhlig

Drama in the form of public theatre is a relatively new arrival on the Gaelic cultural scene. In the 1930s and 40s such amateur community drama as existed tended to use translations of Scots or English plays. A more native-based drama emerged in the 50s and 60s with original plays by playwrights like Iain Crichton Smith, Paul MacInnes and Finlay MacLeod. The number of original one act plays now comes to about 300.

Most of these plays were written for performance by the fifteen or so community drama groups, based mainly in Lewis, Glasgow, Skye and Lochalsh, and Argyll. They participate in three regional festivals – north, south and Argyll – with the winners going on to compete at the National Mod. The first Gaelic professional drama company, *Fir Chlis*, was founded in 1978, based in Tarbert, Harris. It set high standards of performance, but was disbanded in 1982 due to financial difficulties.

'Machair' stars – Ann Swan and Iain Macrae

The last few years have seen important developments on a number of fronts. *Dràma Nàiseanta na h-Oigridh* (The National Gaelic Youth Theatre) was established to enable young Gaels throughout Scotland to develop new skills in the Gaelic performing arts. It runs a three week annual summer school and other shorter workshops in drama skills. Some of its students now take part in the Scottish Television drama serial *Machair* and other Gaelic productions.

In 1992 *Pròiseact nan Ealan* (the National Gaelic Arts Project) established *Dràma Nàiseanta na h-Alba* (Scottish National Drama) to co-ordinate the various drama initiatives. A key aim is to establish a professional Gaelic theatre company on the foundations already laid with *Ordag is Sgealbag*, the Theatre in Education company, and *Dràma Nàiseanta na h-Oigridh*.

The launch of the serial *Machair* in 1992 gave professional Gaelic drama a major boost. It gives employment to well-established actors and hones the skills of a younger generation. Shot entirely on location in Lewis, it has been broadcast at peak viewing time and has attracted audiences of half a million viewers.

Other notable TV drama productions have been *As an Eilean*, a feature film based on two stories by Iain Crichton Smith, and *Craobh nan Ubhal*, a documentary based on the Gaelic/Doric play of the same title. The play toured Scotland and was significant in bringing Gaelic and Doric together in a drama performance for the first time.

LUGH OF THE LONG ARMS

Among the chief gods of the ancient Celtic pantheon was Lugh Làmh-fhada – Lugh of the Long Arms. He was the Celtic Apollo, the god of the sun and of light, and was also regarded as an expert in all the arts and crafts. His festival, Lughnasa, was held on what is now August 1st, and the Gaelic for August, Lùnasdal, derives from this. The bringing in of the harvest was celebrated, the god of prosperity was worshipped and the last sheaf made into a female figure – *a' mhaighdean* – the maiden.

Lugh is reputed to have killed Balor of the Evil Eye in the mythical battle of *Magh Tuireadh* (Moytura). His name is remembered in *Lugudunum* (fort of Lugh), from which derive several European place-names, such as Lyons in France, Leiden in the Netherlands and Leignitz in Silesia. Nearer home, Lugh's name is an element in Carlisle (which appears in Gaelic as *Cathair Luail*) and according to some authorities, in the name London.

Ealain Cheilteach
Celtic Visual Art

Celtic Art has to be considered in a European context. Archaeological remains from the 6th century BC onwards show the early Celts of the Hallstatt and La Tène civilisations to have been fine craftsmen in stone and metal. From early on they were in contact with the Mediterranean civilisations and their art was influenced by this. Surviving objects from the period, such as hilts and scabbards, are decorated with abstract designs using 's' and 'c' curves, spirals, zig-zag lines and lines at right angles to each other.

Iron Age Celts settled in Britain and Ireland and brought their languages and cultures with them. Their art, as seen in illuminated manuscripts, sculptured stones and metalwork, contains a fusion of influences. The distinctively Celtic trumpet pattern is seen alongside Christian and Saxon motifs in manuscripts like those of Durrow, Kells and Lindisfarne.

The Book of Kells has been described as "the finest flower of Celtic art". Animal and human figures are seen alongside extremely intricate interlacing patterns. It was made by Columban monks and is thought to have been started in Iona in the 8th century, and later taken to Kells in Ireland for safe-keeping. It is now reposited in Trinity College, Dublin.

Sculptured crosses, from Iona and elsewhere, belonging to the same period have been praised as outstanding examples not just of British but of European art.

In medieval times the monasteries were important patrons of the arts. They would commission work such as croziers, chalices and brooches, the last mentioned being a symbol of office. Important early examples of Celtic metalwork are the Ardagh Chalice and the Tara and Hunterston brooches, the latter dating to the 8th century. Fine later examples of silver work are St Fillan's crozier, held by the National Museums of Scotland, and the Brooch of Lorne, said to date from the 15th century.

There was a revival in monumental sculpture in the 14th and 15th centuries under the Lordship of the Isles. Hundreds of finely carved crosses and other stone sculpture survive from this period. Iona was one of the principal schools of carving and the work of the Ó Brolcháin and Ó Cuinn families can still be seen in the island.

Today Celtic jewellery is popular and various craftspeople carry forward the Celtic tradition of design. Perhaps the most famous designer to have been influenced by Celtic art was the internationally renowned Charles Rennie Mackintosh, whose work is at present enjoying a revival of popularity.

A page from the magnificent Book of Kells
Photograph courtesy of Board of Trinity College, Dublin

Biadh Gaidhealach
– Highland Fare

Within living memory many native varieties of food were in common use in the Highlands. Some are now out of fashion. Others are more popular than ever. *Brochan* or *lite* (porridge) and *carraigean* (carrageen) are found on restaurant menus while many households still make their own *aran-coirce* (oatcakes) and *sgonaichean* (scones).

Carraigean, or Iceland Moss, is a sea-moss found in rock-pools. Bleached and dried *carraigean,* when boiled in milk and allowed to set, makes an appetising sweet. Another favourite seafood is *duileasg* (dulse), which is used for making soup. It can also be eaten raw. *Faochagan* (winkles) are often boiled and eaten straight from the shell.

Ceann Cropaig is a dish of cod's head filled with a stuffing of cod liver, oatmeal, milk and seasoning. It is similar to the North-East dish Crappit Heids, or heads of haddock similarly stuffed. An unusual delicacy is *guga* (young gannet), a favourite of the people of Ness in Lewis. Once a year a boat sets sail for *Sùlaisgeir,* an island 40 miles north of the Butt of Lewis, to cull the young gannets. The *guga,* when cooked, has a strong oily flavour.

Crannachan is the name for a milk-churn but is also a food-dish made from beaten cream mixed with oatmeal. In modern versions flavourings such as Drambuie are sometimes added. Similar to *crannachan* is *stapag,* although this used also to be made with either water or milk. Early this century most crofting households produced their own milk products such as *ìm* (butter), *gruth* (cottage cheese) *uachdar* or *bàrr* (cream), *blàthach* (buttermilk) and *bainne geur* or *bainne goirt* (fermented milk).

Oatmeal was always a staple of the Highland diet. In addition to porridge it was used for making *bròs* (brose), *brochan tana* (gruel) and is still added to a variety of foods such as *marag dhubh* and *marag gheal* (black and white pudding). Potatoes became an increasingly important part of the diet from the 18th century onwards. *Buntàta 's sgadan* (tatties and herring) was an especially favoured dish. Most island households would have a barrel of salt herring for the winter.

Facail Iasaid
Loan Words

One language borrowing from another is a common phenomenon. It has been reckoned that English has assimilated twenty to twenty-five per cent of the words in Harper's Latin Dictionary. By comparison the number borrowed from Gaelic is modest. Borrowings from Gaelic include:

English	Gaelic	Meaning of Gaelic
galore	**gu leòr**	plenty, enough
gob	**gob**	beak
whisky	**uisge**	water
bog	**bog**	soft
capercaillie	**capall-coille**	game bird, literally horse of the wood
mod	**mòd**	court, or assembly
caber	**cabar**	a pole, or antlers
twig (slang)	**tuig**	understand
crag, craggy	**creag**	a rock, or cliff
glen	**gleann**	a valley
slogan	**sluagh-ghairm**	a signal for gathering a clan
sporran	**sporan**	a purse
dulse	**duileasg**	a type of seaweed
claymore	**claidheamh mòr**	great sword
dun	**donn**	brown
quaich	**cuach**	drinking cup
cran	**crann**	measure for herring
pillion	**pillean**	pack-saddle, cushion

Gaelic, like English, in the past borrowed words from Latin, though to a much lesser extent. Examples are **beannachd** – blessing (benedictio), **leabhar** – book (liber), **leugh** – read (lego), **peann** – pen (penna) and **sgoil** – school (schola).

There were Norse settlements in the Hebrides from the 8th century and it is apparent from place-names and other evidence that Norse was widely spoken. Gaelic contains a number of words of Norse origin. The following is a selection:

Norse	Gaelic	Meaning of Gaelic
akkeri	**acair**	anchor
bíta	**bìd**	bite
klofa	**clobha**	tongs
knapp	**cnap**	lump
knébelti	**cnèibeilt**	garter
kr(j)úpa	**crùb**	crouch
suartbak	**farspag**	great black-backed gull
langa	**langa**	ling
lopt	**lobht**	loft
nábúa	**nàbaidh**	neighbour
ransack	**rannsaich**	research, investigate
hrugn	**rùghan**	small stack of peat
skarf	**sgarbh**	cormorant
streng	**sreang**	string
porsk	**trosg**	large cod

The Rankin Family

Since their appearance on Hogmanay television in 1991, singing the popular Gaelic song *Mo Rùn Geal Dìleas,* the Nova Scotia-based Rankin Family have attracted a growing following in Scotland. The group is made up of five of the twelve Rankin brothers and sisters – Raylene, Cookie and Heather, who sing harmonies and dance the Cape Breton step dance, John Morris, who plays piano and fiddle, and Jimmy, the group's guitarist and singer-songwriter. Their repertoire includes traditional Gaelic songs, as well as contemporary folk music, including songs of their own composition.

Like many other inhabitants of Cape Breton Island, Nova Scotia, the Rankin Family are of Scottish and Irish ancestry. The Rankins' Scottish forebears emigrated to Cape Breton from the Glencoe area seven generations ago, taking their music and other cultural traditions with them. They kept these traditions alive in their new country and also developed a distinctive Cape Breton style of their own, in singing, songwriting and dance. Because of this, the Rankins grew up in an atmosphere where, according to Raylene Rankin, almost every second house had a fiddler and custom dictated that every third weekend the Rankins would host a ceilidh. The Rankin children learnt the step dances and songs common to the region and began performing them at local weddings and dances.

The Rankins' growing popularity at folk festivals led to the launch of their professional career in the late 80s, with the release of two albums, *The Rankin Family* and *Fare Thee Well, Love.* Their popularity in Canada was followed by international recognition and they began to make many television appearances both in Canada and overseas. In 1992, they swept the boards at the Canadian Juno awards and in October 1993, they launched their third album, *North Country,* which includes several Gaelic tracks, such as *Ho Ro, Mo Nighean Donn Bhòidheach.*

The Rankin Family have now made several appearances in Scotland, performing some of the songs that left Scotland so many generations ago. Their style is by no means exclusively nostalgic, however, and their choice of material includes their own songs about the rugged beauty of Canada as well as songs from the Scottish Highlands of their ancestors.

SPELLING — THE GOLDEN RULE

Gaelic spelling may sometimes seem difficult to follow, but remembering the golden rule should be a help. It is:

> **leathann ri leathann is caol ri caol** –
> broad to broad and slender to slender.

This refers to the type of vowel on either side of a consonant or consonants. The broad vowels are **a**, **o**, **u**. The slender ones are **e**, **i**.

An examination of almost any Gaelic word of more than one syllable will confirm the rule e.g.

pàipear – paper
The vowel before the mid-consonant **p** is the slender vowel **i**, so the vowel following **p** must be slender, in this case **e**.

samhradh – summer
The vowel before **mhr** is the broad vowel **a**, so the vowel following **mhr** must be broad, in this case **a**.

The spelling rule explains why the future ending of the verb is sometimes **-idh** and sometimes **-aidh**, e.g.
cuiridh – will put, **togaidh** – will lift.

Exceptions to the spelling rule are

1. some borrowed words e.g. **disco**, **baidhsagal** – bicycle
2. some compound words e.g. **bànrigh** – queen
3. some past participles, e.g. **togte** – built
4. a few other words, e.g. **esan** – the emphatic form of **e** – he.

FORMING PLURALS

The usual ways of forming plurals are as follows:

Add **-an** or **-ean**, according to the spelling rule.

sùil > sùilean – eyes

pàipear > pàipearan – papers

pàrant > pàrantan – parents

ainm > ainmean – names

Add **-aichean** or **-ichean**, according to the spelling rule.

bus > busaichean – buses

litir > litrichean – letters

leabhar > leabhraichean – books

not > notaichean – notes, or pound notes

Notice that the final vowels of **litir** and **leabhar** are dropped when forming the plural. Some plurals are formed by an internal change of vowel or by **slenderisation** (i.e. the insertion of **i**) e.g.

bòrd > bùird – tables

ceann > cinn – heads

balach > balaich – boys

Some are irregular e.g.

piuthar > peathraichean – sisters

bean > mnathan – women, wives

ADDING EMPHASIS

In spoken English a word is emphasised by intonation and stress. In Gaelic personal pronouns have special emphatic forms. e.g. I'm playing cards, what are you doing? in Gaelic would be,

Tha mise a' cluich chairtean, dè tha thusa a' dèanamh?

or

Tha mi fhìn a' cluich chairtean, dè tha thu fhèin a' dèanamh?

The full list is:

SINGULAR	PLURAL
mise – I	**sinne** – we
thusa – you	
sibhse – you (formal)	**sibhse** – you
esan – he / it	
ise – she / it	**iadsan** – they

Emphasis can also be added to pronouns by using **fèin** or **fhèin** – self:

SINGULAR	PLURAL
mi fhèin – I myself	**sinn fhèin** – we ourselves
thu fhèin – you yourself	**sibh fhèin** – you yourselves
sibh fhèin – you yourself (formal)	
e fhèin – he himself / itself	
i fhèin – she herself / itself	**iad fhèin** – they themselves

Mi fhèin, **sinn fhèin** and **sibh fhèin** are often pronounced and sometimes spelt *mi fhìn, sinn fhìn* and *sibh pèin* respectively.

Bi – The verb 'To Be'

We have already looked at the most common forms of the present tense of this verb in Series 1, Book 1, page 70. We can now look at the past and future tenses:

Past tense

bha is used to make positive statements e.g.

bha latha dheth agam – I had a day off

cha robh is used to make negative statements e.g.

cha robh latha dheth agam – I didn't have a day off

an robh is used to ask questions e.g.

an robh latha dheth agaibh? – did you have a day off?

Asking questions

The following are commonly used question words:

cò? – who?   **dè?** – what?

carson? – why?   **ciamar?** – how?

cuin? – when?   **càit?** – where?

Here are examples of questions and answers, using these question words with the past tense of the verb to be.

carson? ciamar? and **cuin?** are followed by **a bha**:

Q. **carson a bha sibh anns a' bhùth?** – why were you in the shop?

A. **bha mi a' ceannach pàipear** – I was buying a paper

Q. **ciamar a bha thu a' faireachdainn?** – how were you feeling?

A. **bha mi a' faireachdainn gu math** – I was feeling fine

Q. **cuin a bha thu ann?** – when were you there?

A. **bha mi ann aig ceithir uairean** – I was there at four o'clock

Because they end in a vowel, **cò?** and **dè?** are followed by **bha**:

Q. **cò bha a' snàmh?** – who was swimming?

A. **bha Màiri a' snàmh** – Mary was swimming

Q. **dè bha thu a' dèanamh?** – what were you doing?

A. **bha mi a' coiseachd** – I was walking

càit is completely different to the others. It is followed by **an robh**:

Q. **càit an robh thu a' fuireach?** – where were you staying?

A. **bha mi a' fuireach ann an Sruighlea** – I was staying in Stirling

Future tense

bidh is used to make positive statements e.g

bidh mi aig an stèisean aig trì uairean – I'll be at the station at three o'clock

cha bhi is used to make negative statements e.g.

cha bhi mi a' dol dhan sgoil an-diugh – I won't be going to school today

am bi is used to ask questions e.g.

am bi thu a' dol ann an-diugh? – will you be going there today?

Asking questions

Here are examples of questions and answers using **cò? dè? carson? ciamar? cuin?** and **càit?** with the future tense of the verb to be:

a bhios is used after **carson? ciamar?** and **cuin?**

Q. **ciamar a bhios sibh a' dol a dh'obair a-màireach?** – how will you be going to work tomorrow?

A. **bidh mi a' faighinn na trèan** – I'll be getting the train

Q. **cuin a bhios tu a' falbh?** – when will you be going?

A. **bidh mi a' falbh ann an còig mionaidean** – I'll be going in five minutes

bhios is used after **cò?** and **dè?**

Q. **cò bhios aig a' chèilidh?** – who'll be at the ceilidh?

A. **bidh Anna ann** – Ann will be there

Q. **dè bhios tu a' dèanamh a-màireach?** – what will you be doing tomorrow?

A. **bidh mi ag obair** – I'll be working

am bi is used after **càit?**

Q. **càit am bi an cèilidh?** – where will the ceilidh be?

A. **bidh e ann an talla a' bhaile** – it will be in the village hall

---

Bidh used for habitual activities

bidh is also used when referring to habitual, or regular activities e.g.

Q. **cuin a bhios tu ag èirigh?** – when do you get up?

A. **bidh mi ag èirigh aig ochd uairean** – I get up at eight o' clock

Q. **am bi sibh a' gabhail bracaist?** – do you take breakfast?

A. **bidh, bidh mi a' gabhail bracaist a h-uile latha** – yes, I take breakfast every day

MORE ABOUT THE VERB 'TO BE'

In *Ceum air Cheum* **tha**, **bha** and **bidh** are commonly used to make statements. You will have noticed that the English translation of this verb changes depending on the subject referred to e.g.

PRESENT TENSE

tha used with **mi** means am

tha used with **e, i** means is

tha used with **thu, sibh, sinn, iad** means are

Examples are:

tha mi gu math – I am well

tha e àrd – he is tall

tha sinn a' tighinn – we are coming

Comparable changes apply to the question forms **a bheil?, an robh?, am bi?** and to the negative or no forms **chan eil, cha robh** and **cha bhi**.

As described in Series 1 Book 2, page 71, when the present tense of the verb to be is used with **aig**, it can mean has or have e.g.

tha sùilean donn aice – she has brown eyes

tha càraichean aca – they have cars

Sometimes the verb to be is dropped altogether when translating into English e.g.

tha cuimhne agam oirbh – I remember you

tha mi a' fuireach ann an Sruighlea –
I live in Stirling

a bheil thu eòlach air? – do you know him?

PAST TENSE

In the past tense **bha** means was or were.

bha used with **mi e, i** means was

bha used with **thu, sibh, sinn, iad** means were

Examples are:

bha e ann cuideachd – he was there also

bha iad còmhla rium – they were with me

When the past tense of the verb to be is used with **aig** it can mean had or did … have. Examples are:

bha latha dheth agam – I had a day off

cha robh peann agam – I didn't have a pen

an robh saor-làithean agaibh? –
did you have a holiday?

As with the present tense, the verb to be can sometimes be dropped altogether when translating into English e.g.

cha robh cuimhne agam air –
I didn't remember him

bha mi glè eòlach orra – I knew them very well

FUTURE TENSE

In the future tense **bidh** means will or will be.

bidh mi, thu, e, i, sinn, sibh, iad –
I, you, he, she, we, you (plural) they will be

Examples are:

bidh mi ann – I'll be there

bidh e a' falbh aig ceithir uairean –
he will be going at four o'clock

Other examples:

bidh an t-uisge ann – it will rain

am bi thu a' dol ann a-nochd? –
will you be going there tonight?

cha bhi thu a' dol a-mach a-nochd idir! –
you won't be going out tonight!

bidh mi! – I will so!

Remember that **bidh** is also commonly used to describe habitual activities e.g.
bidh e a' dol a dh'obair aig naoi uairean –
he goes to work at nine o'clock.
(You will have come across other examples of the habitual use of **bidh** in *Ceum air Cheum*.)

THE DEPENDENT FORM OF THE VERB 'TO BE'

After certain phrases and to report what someone said, the verb to be has special forms (known as dependent forms) for the present, past and future tenses.

These dependent forms are:

	POSITIVE	NEGATIVE
present	gu bheil	nach eil
past	gun robh	nach robh
future	gum bi	nach bi

Examples of phrases which can be followed by the dependent form are:

tha mi an dòchas – I hope

chuala mi – I heard

tha mi a' smaoineachadh – I think

bha mi a' leughadh – I was reading

PRESENT

Examples of the present tense dependent forms are:

tha mi an dòchas gu bheil an t-acras ort –
I hope that you're hungry

tha i an dòchas nach eil e a-staigh –
she hopes that he is not in

chuala mi gu bheil iad a' falbh le chèile –
I heard that they are going out together

tha mi a' smaoineachadh gu bheil i trang –
I think that she is busy.

PAST

Examples of the past tense dependent forms are:

tha mi an dòchas gun robh turas math agaibh
– I hope that you had a good journey

tha mi an dòchas nach robh thu sgìth
– I hope that you weren't tired

bha mi a' leughadh gun robh am Prionnsa Teàrlach ann am Beàrnaraigh
– I was reading that Prince Charles was in Berneray

chuala mi nach robh i gu math –
I heard that she wasn't well

FUTURE

Examples of the future tense dependent forms are:

tha mi an dòchas gum bi thu ann –
I hope that you'll be there

tha mi an dòchas nach bi an t-uisge ann a-nochd –
I hope that it won't rain tonight

tha mi a' smaoineachadh gum bi sin ceart gu leòr –
I think that will be all right

chuala sinn gum bi dannsa ann Dihaoine –
we heard that there will be a dance on Friday

Tha mi an dòchas nach bi an t-uisge ann a-màireach.

REPORTED SPEECH

The dependent forms are also used to report what a person said, e.g.

If Joan's actual words were
tha mi ag obair – I'm working
they would be reported as:

thuirt Seonag gu bheil i ag obair –
Joan said that she is working

If her words were
bidh mi ag obair – I'll be working
they would be reported as:

thuirt Seonag gum bi i ag obair –
Joan said that she will be working

THE VERBAL NOUN

A verbal noun can, as the name suggests, act as a verb *or* a noun, depending on the context e.g.

USED AS A NOUN

's toigh leam <u>snàmh</u> – I like swimming

tha <u>obair</u> agam ri dhèanamh – I have work to do

tha <u>leughadh</u> gu leòr an seo –
    there is plenty reading here

USED AS A VERB

bha mi <u>a' snàmh</u> an-dè –
    I was swimming yesterday

tha Seumas <u>ag obair</u> anns a' ghàrradh –
    James is working in the garden

is toigh leam a bhith <u>a' leughadh</u> –
    I like to be reading

When a verbal noun is used as a noun it is a single word e.g. **snàmh**, **obair**, but when used as a verb it is prefixed by **a'**, or **ag** (in the case of words beginning with a vowel) e.g. **a' snàmh, ag obair**.

Verbal nouns in Gaelic correspond to words in English which end in -ing. Common examples are:

a' ciallachadh – meaning

a' cur – putting

a' dèanamh – doing, making

a' dùnadh – closing, shutting

ag èisdeachd – listening

a' fosgladh – opening

a' gabhail – taking

ag iarraidh – wanting

a' leigeil – letting, allowing

a' ruith – running

a' smaoineachadh – thinking

a' togail – lifting

When used as a verb, the verbal noun is often found with the verb to be, for example:

tha mi a' peantadh – I'm painting

chan eil mi ag èisdeachd ris an rèidio an-dràsda
    – I'm not listening to the radio just now

a bheil thu ag iarnaigeadh? – are you ironing?

bha mi ag iasgach an-dè –
    I was fishing yesterday

cha robh mi a' bèiceireachd idir an-diugh
    – I wasn't baking at all today

cha bhi mi a' cluich a-màireach –
    I won't be playing tomorrow

dè tha thu a' smaoineachadh? –
    what do you think?

cò ris a bhios tu a' bruidhinn? –
    who will you be speaking to?

bidh mi ag èirigh tràth – I'll be getting up early

In statements, some verbal nouns can stand on their own. Others need something following e.g.

tha mi a' ciallachadh ... – I mean ...

bha mi a' dèanamh ... – I was making, doing ...

These can be completed by adding a word or phrase.

tha mi a' ciallachadh a h-uile facal –
    I mean every word

bha mi a' dèanamh mo rathad dhachaigh –
    I was making my way home

THE VERB 'IS'

Gaelic, like Spanish, has two verbs to be. **Is**, and its abbreviated form, **'s**, is used to link two nouns or a noun and pronoun. The most common form the verb takes is **'s e**, the shortened form of **is e** – it is, as in the first example:

's e ur beatha – it's a pleasure

is mise Ailean – I'm Alan   **mise** = Ailean

's ise Màiri – she is Mary   **ise** = Mary

The question form of **is** is **an**:

an tusa Calum? – are you Malcolm?

's mi – yes, I am

cha mhi – no, I'm not

'S e is also used to highlight a particular item e.g.

's e taigh ùr a tha sin – that is a new house

's e nighean chòir a th' innte – she's a kind girl

The same construction is used to establish what someone or something is e.g.

's e baile a th' ann an Inbhir Nis –
    Inverness is a town

's e nurs a th' ann an Sìne – Jean is a nurse

The negative form is **chan e** and the question form is **an e?**

an e baile a th' ann an Eige? – is Eigg a town?

chan e, 's e eilean a th' ann –
    no, it's not, it's an island

is also enters into idiomatic constructions such as

's toigh leam ... – I like ...

's urrainn dhomh ... – I can ...

's beag orm ... – I hate ...

THE REGULAR VERB

Most verbs in Gaelic are regular. That is, they follow the same pattern. The 'command' form of the verb is usually taken as the root. For example:

tog! – lift!

To form the simple past tense the command form is lenited and becomes:

thog (**mi**) – (I) lifted

Verbs beginning **b**, **c**, **d**, **fl**, **fr**, **g**, **m**, **p** and **t** are lenited by adding '**h**' after the first letter.

ROOT	PAST TENSE
bruidhinn! – speak!	> **bhruidhinn** (**mi**) – (I) spoke
cuir! – put!	> **chuir** (**mi**) – (I) put
freagair! – answer	> **fhreagair** (**mi**)– (I) answered
gabh! – take!	> **ghabh** (**mi**) – (I) took/had
seall! – look!	> **sheall** (**mi**) – (I) looked

Verbs beginning **l**, **n**, **r**, do not change when written, although you may hear a difference when spoken.

ruith! – run!	> **ruith** (**mi**) – (I) ran

Verbs beginning **sg**, **sm**, **sp**, **st** show no change, whether written or spoken.

sgrìobh! – write!	> **sgrìobh** (**mi**) – (I) wrote
stad! – stop!	> **stad** (**mi**) – (I) stopped

Verbs beginning **a**, **e**, **i**, **o**, **u** are prefixed by **dh'**

èirich! – get up!	> **dh'èirich** (**mi**) – (I) got up
ith! – eat!	> **dh'ith** (**mi**) – (I) ate
òl! – drink!	> **dh'òl** (**mi**) – (I) drank

Verbs beginning **f** followed by a vowel are prefixed by **dh'** and an **h** is added after **f**. The **fh** is silent.

fosgail! – open	> **dh'fhosgail** (**mi**) – (I) opened
fuirich! – wait!	> **dh'fhuirich** (**mi**) – (I) waited

EXAMPLES OF POSITIVE STATEMENTS IN THE PAST TENSE

ghabh mi mo bhiadh – I took or I had my food

dh'èisd mi ris an rèidio – I listened to the radio

dh'òl iad tì – they drank tea

Dh'fhalbh am bàta.

dh'fhosgail e an doras – he opened the door

sguir i a smocadh – she stopped smoking

EXAMPLES OF POSITIVE STATEMENTS IN THE FUTURE TENSE

To make a statement in the future tense **-idh** or **-aidh** is added to the root, according to the spelling rule:

coinnichidh mi riut aig a' bhanca – I'll meet you at the bank

èisdidh mi ris a' cheòl – I'll listen to the music

gabhaidh sinn biadh aig còig uairean – we'll have food at five o'clock

For making statements in the present tense see page 112.

THU AND TU

You use **tu**, instead of **thu**, in the following situations:

1. after verbs ending in **-aidh**, **-idh**, **-eadh** and **-adh**, e.g.

   coisichidh tu – you'll walk

   càit an do rugadh tu? – where were you born?

   After **bidh** – will be, you will hear **thu** as well as **tu**.

2. after verbs ending in **s**, e.g.

   cuin a bhios tu a' dol dhachaigh? – when will you be going home?

   dè chanas tu ris? – what will you say to him?

3. with certain other forms e.g.

   am faca tu ... ? – did you see ... ?

   an cuala tu ... ? – did you hear ... ?

4. when used with the '**is**' form of the verb to be, e.g.

   is tu a th' ann – it's you (who is there)

   an tu a rinn e? – was it you who did it?

PREPOSITIONAL PRONOUNS

A feature of Gaelic is the way in which prepositions like **air** combine with pronouns like **mi**.

air (on) + **mi** (I, me) = **orm**

In English we say: I have a coat on
In Gaelic this is: **tha còta orm**
                 (literally: there is a coat on me)

This can be shown, as follows:

air +	mi	becomes	orm
	thu		ort
	e		air
	i		oirre
	sinn		oirnn
	sibh		oirbh
	iad		orra

Here are some examples:
tha falt ruadh air – he has red hair
dè tha ceàrr oirre? – what's wrong with her?
tha cabhag oirnn – we are in a hurry
tha mi eòlach orra – I know them
greasaibh oirbh! – hurry up!

Other prepositions combining with pronouns in this way are:

1 aig – at

aig +	mi	becomes	agam
	thu		agad
	e		aige
	i		aice
	sinn		againn
	sibh		agaibh
	iad		aca

Examples:
seo an duine agam – this is my husband
tha dithis bhalach againn – we have two boys
a bheil Gàidhlig agaibh? – do you speak Gaelic?

2 ann – in

ann +	mi	becomes	annam
	thu		annad
	e		ann
	i		innte
	sinn		annainn
	sibh		annaibh
	iad		annta

Examples:
cuir uisge ann – put water in it
's e duine gasda a th' ann – he's a nice man
's e nighean chòir a th' innte – she's a kind girl

3 do – to or for

do +	mi	becomes	dhomh
	thu		dhut
	e		dha
	i		dhi
	sinn		dhuinn
	sibh		dhuibh
	iad		dhaibh

Examples:
thoir dhomh sin! – give me that!
seo sùgh orains dhut – here is an orange juice for you
feasgar math dhuibh – good afternoon or good evening to you

4 le – with

le +	mi	becomes	leam
	thu		leat
	e		leis
	i		leatha
	sinn		leinn
	sibh		leibh
	iad		leotha

Examples:
is toigh leam tì – I like tea
tapadh leat – thank you
feumaidh iad aodach a thoirt leotha – they must take clothes with them

5 ri – to or with or for

ri +	mi	becomes	rium
	thu		riut
	e		ris
	i		rithe
	sinn		ruinn
	sibh		ruibh
	iad		riutha

Examples:
fuirich rium! – wait for me
coinnichidh mi riut aig an stèisean – I'll meet (with) you at the station
am faod mi bruidhinn rithe? – may I speak to her?

E | HOW DOES THE LANGUAGE WORK? CIAMAR A THA AN CÀNAN AG OBRACHADH?

116

AFTER PREPOSITIONS

In Series 1 Book 2, pages 70 – 71 we looked at the forms of the article before the noun and the changes that take place after prepositions. Here, in more detail, is what happens to the article after prepositions such as **aig**, **air**, **anns** and **leis**. The form of the article depends on what letter(s) the noun begins with and whether it is masculine or feminine.

1. words beginning **d**, **t**, **l**, **n**, **r**, **sg**, **sm**, **sp** and **st**.
   There is no change in the form of the article. You use **an** in all cases.

	BASIC FORM	WITH A PREPOSITION
masculine	**an taigh**	**aig an taigh** – at the house
feminine	**an tràigh**	**aig an tràigh** – at the beach
	an làmh	**air an làimh** –* on the hand

2. words beginning **b**, **m**, **p**, **c** and **g**.
   For both masculine and feminine the article after a preposition is **a'** + lenition.

	BASIC FORM	WITH A PREPOSITION
masculine	**am banca**	**anns a' bhanca** – in the bank
	an gille	**aig a' ghille** – at the boy
feminine	**a' bhùth**	**anns a' bhùth** – in the shop
	a' choinneamh	**aig a' choinneimh** –* at the meeting

3. words beginning **a**, **e**, **i**, **o** and **u**
   For both masculine and feminine the article after a preposition is **an**.

	BASIC FORM	WITH A PREPOSITION
masculine	**an t-each**	**air an each** – on the horse
	an t-ubhal	**leis an ubhal** – with the apple
feminine	**an eaglais**	**anns an eaglais** – in the church
	an uinneag	**aig an uinneig** –* at the window

4. words beginning with **s** followed by a vowel and words beginning **sl**, **sn** and **sr**.
   For both masculine and feminine the article after a preposition is **an t-**.

	BASIC FORM	WITH A PREPOSITION
masculine	**an seanair**	**aig an t-seanair** – at the grandfather
	an sloinneadh	**leis an t-sloinneadh** – with the surname
feminine	**an t-sràid**	**air an t-sràid** – on the street
	an t-snàthad	**leis an t-snàthaid** –* with the needle

5. words beginning with **f**.
   For both masculine and feminine the article after a preposition is **an** + lenition.

	BASIC FORM	WITH A PREPOSITION
masculine	**am feasgar**	**anns an fheasgar** – in the afternoon
feminine	**an fhuil**	**anns an fhuil** – in the blood

SLENDERISATION

After certain prepositions (see asterisked examples –*****), feminine nouns ending in a broad vowel change either by adding a slender **i** as in **snàthad** and **làmh** or by replacing a broad vowel with a slender one, e.g. **uinneag**.

Where an adjective follows a feminine noun, after a preposition, it is also normally slenderised. For example, on page 55 we have the phrase
air an làimh dheis – on the right hand
The ordinary form without **air** would be **an làmh dheas**.
Because **làmh** is feminine it is slenderised and so too is the adjective.

PREPOSITIONS WHICH JOIN WITH THE

Some prepositions join with the and by elision form one word. For example we have:

dhan – to the   **dhen** – of the
bhon – from the   **fon** – under the

Dhan also takes the form **don** – to the

These prepositions lenite the following noun according to the usual rules, e.g.

dhan taigh – to the house   **dhen obair** – of the work
dhan bhaile – to (the) town   **dhan t-saor** – to the joiner

Note
Not all prepositions cause the above changes in the following nouns, e.g. **eadar** – between.
For **chun** see *Uses of the genitive case, page 118.*

USES OF THE GENITIVE CASE

In Gaelic a house door is **doras taighe**. The word order is reversed and there is no a. Remember there is no word for a in Gaelic. In the phrase **doras taighe**, **taighe** is said to be in the genitive case. This means that the noun **taigh** has changed form to **taighe**. The genitive case is used to show that something is *of* something else, or that something belongs to something else. Some singular nouns such as **teine** and **baile** don't change in the genitive when there is no definite article i.e. no word for the, e.g. **àite-teine** – a fireplace, **meadhan baile** – a town centre. Many nouns, however, do. Examples from the course are:

ball-coise – football	(**cas** changes to **coise**)
taigh-bìdh – restaurant	(**biadh** changes to **bìdh**)
cùrsa samhraidh – a summer course	(**i** added to **samhradh**)

In phrases which include the definite article such as 'the end of the road', 'the Bank of Scotland' and 'the door of the bank', we say, that something is of, belongs to, or is part of something else. These are translated into Gaelic as follows:

ceann an rathaid – the end of the road

Banca na h-Alba – the Bank of Scotland

meadhan a' bhaile – the centre of the town

In examples such as these, the second noun changes form i.e. it goes into the genitive case, e.g **rathad** becomes **rathaid**.

Notice also that Gaelic, unlike English, does not have the article before the first noun, e.g.

meadhan a' bhaile – the centre of the town

toiseach na seachdain – the start of the week

The article before the second noun changes according to what letter the word begins with and whether the noun is masculine or feminine. Here are examples of genitive forms where the second noun begins with different letters of the alphabet.

1. words beginning **d, t, l, n, r, sg, sm, sp** and **st**

	BASIC FORM	GENITIVE FORM
masculine	**an taigh** the house	**doras an taighe** the door of the house
feminine	**an sgoil** the school	**doras na sgoile** the school door (lit. the door of the school)

'of the' in this group is always **an** with singular masculine nouns and **na** before feminine nouns.

2. words beginning **b**, **m**, **p**, **c** and **g**

	BASIC FORM	GENITIVE FORM
masculine	**an càr** the car	**uinneag a' chàir** the car window (lit. the window of the car)
feminine	**a' bhùth** the shop	**cùlaibh na bùtha** the back of the shop

'of the' in this group is always **a** + lenition with masculine nouns and **na** with feminine nouns.

3. words beginning **a**, **e**, **i**, **o** and **u**

	BASIC FORM	GENITIVE FORM
masculine	**an t-ospadal** the hospital	**geata an ospadail** the gate of the hospital
feminine	**an eaglais** the church	**Sràid na h-Eaglaise** Church Street (lit. the street of the church)

'of the' in this group is always **an** with masculine nouns and **na h-** with feminine nouns.

4. words beginning with **s** followed by a vowel or **l**, **n** and **r**.

	BASIC FORM	GENITIVE FORM
masculine	**an samhradh** the summer	**meadhan an t-samhraidh** the middle of the summer
feminine	**an t-sràid** the street	**ainm na sràide** the street name (lit. the name of the street)

'of the' in this group is always **an t-** with masculine nouns and **na** with feminine nouns.

E| HOW DOES THE LANGUAGE WORK?
CIAMAR A THA AN CÀNAN AG OBRACHADH?

118

5. words beginning with **f**

	BASIC FORM	GENITIVE FORM
masculine	**am feasgar** the afternoon/ evening	**deireadh an fheasgair** the end of the afternoon
feminine	**an fhuil** the blood	**dath na fala** the colour of blood

'of the' for words beginning **f** is always **an** + lenition with masculine nouns and **na** with feminine nouns.

Points to note about the above are:

1. The article before singular feminine nouns is always **na** or **na h-**, and **an**, **an t-** or **a'** before singular masculine nouns.

2. The second noun changes. Often the end of the word is slenderised e.g. **càr >> a' chàir**. Sometimes an **a** is added to single syllable words e.g. **bùth >> na bùtha**. Sometimes an **e** is added, particularly to feminine words e.g. **eaglais >> na h-eaglaise**. Some words change completely e.g. **fuil >> na fala**.

GENITIVE PLURALS

Examples of the genitive plural form which feature in the course are:

stèisean nam busaichean – the bus station

bùth nan leabhraichean – the book shop

The plural article is always **nan** or **nam**. **Nam** is used before nouns beginning **b p m and f.**

OTHER USES OF THE GENITIVE CASE

1. After **ri taobh** – beside, **air beulaibh** – in front of, and **air cùlaibh** – bchind:

ri taobh na h-aibhne – beside the river
(**abhainn** changes to **aibhne**)

air cùlaibh na bùtha – behind the shop

air beulaibh na h-eaglaise – in front of the church

2. After verbal nouns such as **a' càradh, a' glanadh** and **a' nighe**:

a' càradh a' chàir – fixing the car

a' fàgail an taighe – leaving the house

a' nighe nan soithichean – washing the dishes

In colloquial speech, this change after verbal nouns is usually made only when the definite article is being used, as in the examples above.

3. After **chun**:

chun na sràide – to the street

4. After **tuilleadh** – more, **seòrsa** – kind, type, **beagan** – a little, **mòran** – many, much, **tòrr** – much, a lot,

tuilleadh arain – more bread
(**aran** changes to **arain**)

tòrr obrach – a lot of work
(**obair** changes to **obrach**)

moran chloinne – many children
(**clann** changes to **chloinne**)

beagan feòla – a little meat
(**feòil** changes to **feòla**)

In colloquial speech nouns after words such as **tòrr**, **tuilleadh** etc are often left in their ordinary form e.g. **tòrr obair**, **tuilleadh aran**.

HIS AND HERS

One way to express his and her in Gaelic is to use **aige** and **aice** e.g.

an taigh aige – his house

an taigh aice – her house

Another way is to use **a**:

a thaigh – his house

a taigh – her house

a ... his lenites, while **a ... her** does not.

This crops up in other expressions e.g.

tha mi airson a faicinn –
I would like to see her

tha mi airson fhaicinn –
I would like to see him

The latter is a shortened form of **tha mi airson a fhaicinn**.

Other examples are:

am faod mi fhaicinn? – may I see him?

am faod mi a faicinn? – may I see her?

The **Speaking Our Language** *range also includes the following products and services, all designed to help you to build up your Gaelic.*

Series 2

AUDIO TAPES ...

... cover all the material from Programmes 19 – 36 in two long-play cassettes. You can hear Gaelic spoken in different situations and practise your own pronunciation of new words. You don't have to refer to written material as you listen, so you can use these tapes in the car or around the house.

VIDEOS ...

... allow you to watch all the television programmes again in your own time. There are two sets for Series 2 – the first set covering Programmes 19 – 27 and the second set covering Programmes 28 – 36.

Series 1 – for beginners

If you missed Series 1, or would like to revise, then our first series of back-up material will be ideal for you. The series consists of two Study Packs (both with free stickers and posters), a set of three audio tapes and two sets of videos. You can purchase a complete set of Series 1 materials, or buy items separately.

Do you know about Cànan's other support services for learners?

FIOS

Join the Fios information club and subscribe to our quarterly newsletters – packed with news, information, special offers, quizzes and puzzles to test out your Gaelic.

ASSESSMENT SCHEME

Test your own progress by taking part in our telephone assessment scheme and gain a certificate in Gaelic conversation. For full details, contact us at the address below.

Please contact us at the address or phone number below if you would like to order any of the items listed, or if you would like further information. We'd also like to hear how you're getting on with learning through Speaking Our Language, so why not drop us a line?

Cànan
P.O. Box 345,
Isle of Skye
IV44 8XA

Tel: 04714 345   **Fax: 04714 322**